ALQUIMIA DE LA FABRICACIÓN DE JABÓN NATURAL Y ORGÁNICO

De pasatiempo a un

exitoso negocio en casa

Por

Theresa Rogers

Diseño de la portada Robin Goodnight

Maquetación y diseño de interiores Chelsea Rogers

Primera edición

Contents

Cómo Me Convertí En Una Experta En La Fabricación De Jabó

Mi familia y yo estábamos sentados en la mesa de la cocina a la hora de cenar. Pensé que era el momento de "confrontarlos", como haría cualquier buen detective.

"¿Alguno de ustedes sabe por qué el jabón casero que me regaló Lorraine por Navidad está

desapareciendo más rápido de lo que lo uso? Estoy segura de que debería quedarme más. Esta es la segunda barra que casi se ha acabado".

Me esforcé por parecer enfadada, pero no pude. Era evidente que alguien más estaba usando el jabón. Realmente no me importaba, aunque mi curiosidad me superaba.

El silencio llenó la habitación. Nadie admitió haberlo usado, no al principio. Al menos esperaba que mi hijo adolescente implicara a su hermana menor, como hizo con todas las demás acusaciones.

Finalmente, mi hija de siete años confesó. "Lo he estado usando, mami. Es más divertido tomar un baño con ese jabón tan chulo que tienes que con cualquier otro de la casa". Hizo una pausa antes de continuar su confesión. "Y lo uso cuando me lavo las manos antes de comer. Quieres que me lave las manos antes de comer, ¿verdad?"

Sus grandes ojos azules se clavaron en los míos. Qué chica tan inteligente.

"Sí, quiero, Braelyn", respondí. ¿Cómo podía discutir eso?

"No estoy enfadada; sólo tenía curiosidad. Me alegro de que por fin hayas encontrado un jabón que te guste".

Su padre se aclaró la garganta tras escuchar mi respuesta. No, él no, pensé.

"Yo también lo he estado usando", dijo, tímidamente. En realidad, hace un mejor trabajo para fregar la suciedad de mis manos después del trabajo que cualquier otra cosa".

Otra pausa cautelosa y, finalmente, mi hijo

adolescente Trey empezó a hablar. "Bien. He estado usando. Pero mamá, mira mi cara. Mira mi acné".

Su acné, que siempre ha sido una pesadilla, había desaparecido. Lo había notado antes; sólo que no me había dado cuenta de que el jabón casero natural y orgánico que había en nuestro baño era el responsable. El joven había probado todo lo demás para aliviar su acné. Seguro que estaba encantado.

El Punto De Inflexión

Esa noche, me puse a pensar en el caso del jabón desaparecido. Básicamente, descubrí que un tipo de jabón casero complacía a toda mi familia. Esencialmente, esta barra de jabón era un gran astringente, quitaba la suciedad de la piel de forma suave pero eficaz, hacía que un niño se bañara y se lavara las manos antes de comer y eliminaba milagrosamente el acné persistente.

Y tenía una cualidad más. El uso de este jabón me ayudaba a relajarme por la noche -o en cualquier momento del día- cuando me sentía momento del día, cuando me sentía agobiada y estresada. ¿Cómo podría pedirle a un jabón que trabajara más duro o más eficazmente y a una fracción del coste del jabón normal, fabricado comercialmente que poco a poco iba aprendiendo que llevaba todo tipo de aditivos que ponían en peligro la vida.

No hay duda de que ese fue el punto de inflexión, llamé a mi amiga y le ofrecí comprarle un par de pastillas de jabón. Luego le dije por qué. Pase mañana y me dijo: "Estoy haciendo un nuevo lote. Tendré algunas listas para que las compres, pero creo que te interesará ver cómo las hago también".

No estaba muy segura de la demostración de fabricación de jabón, pero acepté de todos modos.

Al día siguiente visité a mi amigo y vi lo fácil que era hacer este jabón yo misma.

Al llegar a casa, le di a cada uno su pastilla de jabón y me dirigí al ordenador. Quería informarme sobre el jabón comercial. Había oído que contenía toxinas y aditivos sintéticos que podían provocar problemas en la piel.

Pero creo que no estaba preparada para saber que muchos de estos aditivos, que no puedo pronunciar, están en casi todas las pastillas de jabón, en todas las lociones e incluso en casi todos los champús.

Natural Y Orgánico

No era tan ingenua como para creer que el jabón que había comprado era natural y ecológico. Pero no estaba en absoluto preparada para el nivel de ingredientes duros y dañinos que había en una pastilla de jabón.

Ahora no tenía otra opción para cambiar, si no quería ser una hipócrita. ¿Cómo podía seguir usando jabón comercial, sabiendo lo que sabía ahora?

Así que, durante varios meses, hice acopio de jabones caseros de ferias de artesanía. Buscaba especialmente los que estaban perfumados con lavanda. Esta hierba, incluso en su forma de aceite esencial, es ampliamente conocida por aclarar las afecciones de la piel, específicamente los problemas de acné difíciles y persistentes como el de mis hijos.

Un día empecé a hacer mi propio jabón. Empecé con el método de fundir y vertir, que es exactamente lo que se hace, y me gradué en los métodos de proceso en frío y en caliente. Aprendí las diferencias en el significado de orgánico y natural.

Aprendí a decorar el jabón para seguir manteniendo el interés de mis hijas. Y aprendí cómo este jabón funciona lo suficientemente bien como para limpiar la suciedad de mi marido y, sin embargo, puede ayudarme a relajarme después de un día estresante.

Capítulo 1: Historia Del Jabón

Conoce a Ugh, uno de nuestros ancestros cavernícolas. Acaba de regresar a su cueva con una gran cantidad de mamut lanudo para la cena y un poco de piel de la criatura para su esposa Nag, que acababa de mencionar que necesitaba ropa más cálida.

Entró en la cueva con una gran sonrisa. A veces, se confesaba a sí mismo que no tenía ni idea de lo que hacía feliz a su mujer. Sin embargo, estaba seguro de que la carne y la piel lo harían. Esperaba un maravilloso saludo como respuesta.

Nag, en efecto, se alegró de los regalos sorpresa, pero quién iba a decir que los mamuts lanudos olían tan mal.

Entró en la cueva, le mostró la carne y las pieles y ella besó a su marido en señal de agradecimiento. Entonces, de repente, le dijo que saliera a limpiarse. Él hizo lo que ella le pidió.

Comenzó a limpiarse con un tipo de jabón duro y primitivo. Todavía había un problema, pensó, y el jabón le hacía oler igual de mal.

Así que, después de limpiarse, salió al campo, a las rosas silvestres que crecían allí, cogió algunos pétalos de rosa y se los frotó. Esperaba que le gustara.

Cuando volvió a entrar en la cueva, ella olió las rosas en él y le dio un gran beso... Hueles como nunca antes lo habías hecho, le dijo. Y luego insinuó que deberían volver a la piel que usaban como cama...

Oh, espera. Tacha eso. Eso es para otro tipo de historia en otro día.

La historia del jabón es tan antigua como la de la humanidad. Pero en realidad no hay pruebas para esa afirmación. Lo que los arqueólogos pueden decirnos es que, a partir del año 2800 a.C., se descubrieron barriles de algo parecido al jabón en lugares donde se reunía la gente en Babilonia.

Otros arqueólogos encontraron barriles de

sustancias similares en Mesopotamia que databan de aproximadamente el 2800 a.C. Pero lo más emocionante de este hallazgo, desde el punto de vista científico, fue que también descubrieron una tablilla de arcilla que describía las instrucciones para fabricar el jabón. Los mesopotámicos simplemente combinaban potasa con varios tipos de aceites.

Los arqueólogos también han confirmado que los antiguos egipcios tenían su propia fórmula para hacer jabón, que incluía tanto grasas animales como aceites vegetales.

Ni la potasa ni las grasas animales suenan como ingredientes en los que quiera sumergirme.

No fue hasta el año 600 d.C. cuando se desarrolló el jabón "moderno" tal y como lo conocemos. También fue en esta época cuando se formaron los gremios de jaboneros. Para refrescar la memoria, un gremio era un grupo de comerciantes o artesanos que velaban por el cumplimiento de las normas de su oficio.

Los gremios artesanales de jaboneros fueron especialmente populares en España en el año

800, que pronto se convirtió en el principal fabricante de jabón del mundo occidental. No fue hasta unos 400 años más tarde, hacia el año 1200, cuando la fabricación de jabón se impuso en Inglaterra. Esto, por cierto, se debió al descubrimiento de Nicolas Leblanc, un científico francés. A finales del siglo XVIII, descubrió que la lejía -hasta hoy, uno de los principales componentes del jabón- podía fabricarse con sal de mesa.

No se puede subestimar cómo este único descubrimiento cambió todo el oficio y el negocio. Fue la última pieza del rompecabezas que haría que el jabón comercial estuviera al alcance de casi todas las familias.

Pero, sorprendentemente, la producción y venta comercial de jabón a gran escala no se produjo hasta los siglos XVII y XVIII.

Hasta entonces, muchas familias, especialmente en las colonias de Norteamérica, fabricaban su propio jabón porque el comercial era escaso y caro. El procedimiento habitual de fabricación de jabón en las colonias de la época consistía en verter agua caliente sobre cenizas de madera.

De este modo se obtenía potasa alcalina que luego se hervía con grasas animales en grandes calderas de hierro. Sí, el jabón limpiaba bien, pero era duro para la piel y, como era de esperar, olía mal.

Hoy en día, el jabón comercial que usted y su familia utilizan sigue una fórmula similar y se sigue produciendo de una manera peligrosamente parecida a la de hace casi cien años, poco después de la revolución industrial. Sin embargo, los fabricantes han mejorado en aspectos como la suavidad del jabón para la piel, la coloración del jabón y su fragancia.

¿Qué Pasa Con Los Jabones Del Siglo Xxi?

Me gustaría poder informarle de que el jabón que compra hoy en día en las grandes tiendas o en los estantes de su supermercado no tiene problemas y es inequívocamente saludable para su cuerpo. Porque si bien el jabón puede sentirse más suave y oler maravillosamente, todavía hay problemas con el jabón hecho comercialmente.

Con el fin de dar al jabón una vida útil más larga, así como para hacer el jabón más atractivo, tanto en la fragancia y el color, los fabricantes comerciales incluyen sintéticos y otros aditivos impronunciables que hacen poco más que dañar su salud.

Su cuerpo, como bien sabe, utiliza una gran cantidad de nutrientes diariamente para mantenerse sano. Lo que no es tan conocido -o simplemente lo pasamos por alto- es el papel que desempeña la piel en la absorción de nutrientes. Cuando esto ocurre, se llama absorción transdérmica. La piel absorbe casi el 60 por ciento de lo que se pone en ella. Por supuesto, esto incluye no sólo los jabones, sino también las lociones y las cremas, sin olvidar los champús. Teniendo en cuenta que la piel es el órgano más grande del cuerpo -tiene una superficie media de 6 metros cuadrados-, es una gran cantidad de piel para absorber esos aditivos potencialmente nocivos que pueden llegar directamente al torrente sanguíneo.

Muchos de los productos que utilizamos para limpiarnos -jabones, limpiadores faciales y jabones corporales- podrían hacernos más daño que bien.

El problema viene cuando la piel absorbe indiscriminadamente lo que le ponemos. La piel posee lo que se llama una membrana semipermeable. Esto significa que permite que se absorban todas las sustancias saludables: todo lo mejor en forma de vitaminas y minerales. Pero la piel no tiene la capacidad de ser un "gorila" como en una discoteca.

Cuando se colocan aditivos no tan buenos en la piel, la membrana los deja entrar al igual que todas las sustancias nutritivas. Y como van directamente al torrente sanguíneo, comienzan a toxificar la sangre que luego causa problemas con los órganos principales, como el hígado y los riñones.

Cuando El Jabón No Es Jabón

Antes de que pienses que soy un radical con carné de agitador, o un hippie sobrante de mediados del siglo XX, vamos a recuperar el aliento y a echar un vistazo al panorama general.

¿Cuándo el jabón no es jabón?

Fíjate en la pastilla o en el jabón corporal que has usado. Puede que eso no sea jabón. La mayoría de los artículos etiquetados como jabón se parecen más a un detergente que a un jabón. Y no tienes que creerme. Lea, si quiere, la siguiente cita.

"Hoy en día hay muy pocos jabones verdaderos en el mercado. La mayoría de los limpiadores corporales, tanto líquidos como sólidos, son en realidad productos detergentes sintéticos."

¿Quién ha dicho eso?

Nada menos que la Administración de Alimentos y Medicamentos de los Estados Unidos.

Para entender lo que dice la FDA tenemos que aprender un poco aquí sobre la fabricación del jabón. No se preocupe; profundizaremos en esto más adelante en el libro. Por ahora, sólo le proporciono un breve resumen, para que pueda entender por qué el jabón que cree que está comprando en sus tiendas locales puede no ser jabón después de todo.

El jabón moderno se hace simplemente mezclando dos ingredientes. Aceites o grasas con lejía. Es así de sencillo. Esta mezcla provoca una reacción que se denomina saponificación. El resultado final de este proceso crea una mezcla de jabón y glicerina. No importa realmente el tipo de aceite que se utilice. Si se elige el aceite de oliva, por ejemplo, el jabón producirá elementos de aceitunas. Del mismo modo, si selecciona aceite de coco, su producto final será el jabón que contiene elementos de coco.

La cuestión de todo esto es que el jabón creado a partir de esta mezcla es jabón. Puede parecer redundante, pero es una distinción vital. No necesita que se le añada nada sintético para hacer el trabajo para el que fue creado: limpiar tu cuerpo. Esta es la forma en que se hace el jabón casero y sobre lo que vas a aprender más en este libro.

Veamos El "Jabón" Producido En Masa.

Esto contrasta fuertemente con los llamados jabones producidos comercialmente. Para empezar, al jabón se le quita uno de sus ingredientes más importantes, la glicerina. Este proceso de extracción ocurre justo después de que los ingredientes pasan por la saponificación.

Probablemente haya oído hablar de la glicerina con respecto al jabón. Es lo que se conoce como un humectante natural. Esto significa que en realidad atrae la humedad a la piel. Es un emoliente extremadamente calmante y es un ingrediente invaluable en el jabón "real".

Entonces, ¿por qué entonces, probablemente se esté preguntando, algunos fabricantes de jabón lo extraen? Toman esta sustancia y la venden a otros fabricantes de jabón o la usan ellos mismos en su línea de productos más cara.

Estos fabricantes luego reemplazan la glicerina con ingredientes sintéticos, incluidos detergentes, fragancias químicas y agentes espumantes. Todos los cuales, repitamos, no son en lo más mínimo naturales. Pero todos se agregan para hacer lo que la glicerina hace naturalmente.

Puedes comprobarlo por ti mismo, simplemente leyendo la etiqueta de ingredientes de una barra de jabón. De hecho, ¿por qué no leer las etiquetas de varias marcas diferentes de jabón para ver de qué estoy hablando? La lista habitual de ingredientes suele contener, para empezar, lauril sulfato de sodio, que se utiliza en detergentes para ropa. Puedes agradecer a este ingrediente si tu piel se siente seca o si tu piel está irritada.

Ahora, para confundirlo aún más, hay otro ingrediente sintético conocido como sulfato de Laureth. Este es el agente espumante.

Solo eche un vistazo a la lista de ingredientes para una barra de jabón promedio en su tienda local. Podría contener Lauril sulfato de sodio (SLS), un tensioactivo aniónico que se usa en detergentes para ropa y que secará e irritará la piel. También puede tener Laureth sulfato de sodio. Este agente puede contaminarse con demasiada facilidad con un carcinógeno sospechoso, conocido como dioxano, a medida que pasa por el proceso de fabricación.

Capítulo 2: Tipos De Jabón

Dependiendo de las categorías que utilice, hay varias formas de clasificar el jabón. Algunas personas los clasifican según el uso; otros prefieren dividirlos según su estructura física.

Este capítulo está dedicado a las muchas clasificaciones diferentes y cómo cada jabón puede diferir de los demás o cómo contienen elementos similares. Llegará a apreciar esta información a medida que profundice en su afición. Cuando habla con otros fabricantes de jabón, necesita saber un poco sobre todos estos tipos diferentes. Y tenga en cuenta que las personas tienen una forma de crear más categorías todo el tiempo.

Jabones De Cocina

Bastante auto-explicativo, ¿verdad?

Cuando habla de los jabones que usa en su cocina, puede dividirlos una vez más: en detergentes y limpiadores.

En su mayor parte, los limpiadores, a diferencia de los detergentes, contienen abrasivos suaves para quitar los alimentos más duros de los artículos, como restos de comida pegados en mostradores o mesas. En esencia, están formulados para deshacerse de partículas sólidas o pesadas, así como de manchas difíciles. Cuando vas a comprar un limpiador en cualquier tipo de tienda, una de las primeras cosas que notarás son los diferentes tipos entre los que tienes que elegir. Todo depende del tipo específico de abrasivo que contenga el limpiador.

Jabones: Seamos Personales

Otra categoría de jabón sobre la que hablará bastante es el tipo personal. Hay muchas formas de jabón que entran en esta categoría, así como diferentes formulaciones. El tipo que usted y los miembros de su familia necesitan depende de las necesidades de higiene personal, así como de las condiciones actuales de su piel.

Tomemos, por ejemplo, a mi hijo, que tenía

acné. Eso se consideraría una necesidad de higiene personal que lo alentaría a comprar un jabón para esa condición particular de la piel.

No olvides incluir en esta categoría los geles de baño e incluso los champús.

Jabones Novedades

Fabricados y comercializados pensando en los niños, estos productos vienen en una amplia variedad de formas, como los que parecen "patitos de goma", o esos productos de jabón en una cuerda que ves en todas partes. Por supuesto, trabajan horas extra limpiando la suciedad y la mugre de los niños, pero las formas divertidas y los artículos ingeniosos que a veces se colocan en estos productos hacen que la hora del baño sea divertida para los niños.

Jabón Perfumado

Estos son algunos de mis jabones favoritos, y sé que hay muchas otras personas que sienten lo mismo. Es sorprendente cómo algo tan fácil de crear puede ser un producto tan convincente.

Para muchos de nosotros, una vez que olfateamos por primera vez este tipo de jabones, quedamos enganchados. Tenemos que comprarlo. Y pensar, se hace añadiendo unos pocos ingredientes y una pizca de perfume.

Jabones De Alojamiento

Estas son las pequeñas barras de jabón con las que tropezará (o buscará a propósito para llevarse a casa) en muchos hoteles, moteles y establecimientos de alojamiento y desayuno. Cuando se fabricaron por primera vez, siempre se podía contar con ellos como "barras" de jabón en miniatura. Hoy en día, puede encontrarlos en cualquier cantidad de formas, incluidas conchas marinas, discos redondos y flores.

Los Jabones De Belleza Son Un Gran Negocio

Estos jabones cuentan ante todo con fragancias seductoras, porque, si no tienes esa fragancia especial, difícilmente habrá un hombre que esté interesado en ti. Pero, hay más en una barra de jabón que solo un bonito aroma.

Estos productos también tienen una gran cantidad de ingredientes "garantizados" para brindarle a su piel todo lo que necesita para mantenerse hidratada, atraer y mantener una piel saludable y, en muchos casos, mantener las arrugas alejadas.

Los jabones de belleza pueden costar un poco más que una barra de jabón o una botella de gel de baño líquido para la familia, pero estos productos también son ricos en glicerina y mezclas de aceite que realmente ayudan a mejorar y suavizar la piel en algunos casos. Si compra estos, debe ser selectivo y tomarse un momento de vez en cuando para evaluar cómo está cumpliendo sus promesas.

Jabon Medicinado

Los jabones medicados son aquellos que se fabrican con la intención de tratar una afección de la piel que suele ser problemática. Si tiene un adolescente, su primer pensamiento puede ser un jabón medicado diseñado para ayudar a eliminar el acné. También hay jabones en el mercado que afirman que pueden ayudar a eliminar los poros obstruidos, las espinillas e incluso la picazón crónica.

Solo tenga en cuenta que cuando los compre y los use, debe ser plenamente consciente de los ingredientes que contienen. De esta manera, puede reducir su compra y enfocarse mejor en la condición que necesita curar.

Algunas Palabras Màs Sobre El Jabòn Medicado

Hace unos años, varios jabones medicinales estaban de moda. La gente los estaba usando con grandes resultados. Hoy, sin embargo, es posible que encuentre menos de estos productos en el mercado.

Es sorprendente lo rápido que ha crecido este mercado en los últimos años. Hoy en día usted puede encontrar productos de jabón que afirman curar casi todo lo que tal vez no puede presentar el jabón fabricado comercialmente.

Has oído hablar de un jabón que eliminará o reducirá la apariencia de los síntomas de la celulitis. Estos pretenden reducir los hoyuelos en la piel, especialmente en aquellas áreas rebeldes como la cadera y los muslos.

E incluso estarás usando otro tipo de jabón medicado que mantiene a raya los signos del envejecimiento. Pueden prometer una piel más tersa y de aspecto más joven. Aquí hay uno, aunque es posible que no haya oído hablar de él, y ese es el jabón "antimosquitos". Supuestamente hace exactamente eso. Evitará que te piquen los mosquitos. También es popular en áreas que tienen una infestación de mosquitos.

El problema es que la gran mayoría de los que hay en el mercado utilizan ingredientes sintéticos en lugar de naturales y orgánicos. A medida que continuamos, verá cómo puede lograr estos mismos resultados, incluso mejores, de hecho, cuando está armado con su olla de cocción lenta y algunos otros ingredientes.

Hay otro problema más serio con el jabón medicado, específicamente aquellos que afirman ser antibacterianos. Si te preguntas si funcionan, sí, lo hacen. Pero mientras afirman que matan el 99.9 por ciento de las bacterias, es ese uno por ciento que no matan lo que causa un problema. Permanecen y eventualmente se vuelven resistentes a los jabones antibacterianos.

Esta resistencia puede revelarse en bacterias que no responderán a ningún tratamiento antibacteriano, no solo al jabón.

Seguro que has oído hablar de esto antes, pero nunca lo asociaste con el jabón. Ha leído casos en los que las personas se han quejado de que una herida abierta no cicatriza, el diagnóstico es que está siendo causada por bacterias resistentes a los medicamentos. Simplemente luchar contra estas bacterias se convierte literalmente en una situación de vida o muerte para la persona con la infección.

Incluso la Administración de Drogas y Alimentos de los EE. UU. reconoce que no existe evidencia de que estos jabones antibacterianos sean realmente mejores para limpiarse las manos.

Según la FDA, el cliente promedio no necesita usar jabón antibacteriano. Todo en su hogar quedará "lo suficientemente limpio", incluso si no usa jabón antibacteriano. Y no tiene que temer que esté contribuyendo a la próxima epidemia de un brote de "súper bacterias", uno que no se puede tratar con medicamentos antibacterianos comunes.

Por supuesto, encontrará estos jabones en hospitales y consultorios médicos, y ahí es exactamente donde deben permanecer.

Más bien, pueden estar haciéndole daño debido a los químicos que contienen. La siguiente lista, publicada por la Administración de Alimentos y Medicamentos, es solo una lista parcial de algunos de los químicos prohibidos más recientemente en los jabones medicados:

Yodo de etanol

Cloflucarbán

Fluorosalán

Hexaclorofeno

Hexilresorcinol

Complejo de yodo (sulfato de éter amónico y monolaurato de sorbitán polioxietilenado)

Complejo de yodo (éster de fosfato de alquil ariloxi-polietilenglicol)

Nonil fenoxipoli (etilenoxi)

Complejo de poloxámero-yodo

Povidona yodada del 5 al 10 por ciento

Complejo de yodo y cloruro de undecoylium

Cloruro de metilbencetonio

Fenol (más del 1,5 por ciento)

Fenol (menos del 1,5 por ciento) 16

Amiltricresoles secundarios

Oxicloroseno de sodio

Tribromsalan

Triclocarbán

Triclosán

Tinte triple

Jabones Que Contienen Glicerina

Como usted recuerda, dijimos que cuando usted hace su propio jabón, usted terminará con un producto que posee glicerina. No puede estar seguro de ello con los productos que adquiere en los estantes de su tienda favorita de productos de salud y belleza. Hoy en día, muchos fabricantes de jabón despojan a sus productos de esta sustancia. Y es una pena, porque la glicerina hace que la piel se sienta mucho más húmeda y ayuda a mantenerla hidratada.

Jabón Transparente

El jabón transparente es exactamente eso, jabón transparente. Este jabón es transparente porque contiene ingredientes que difieren ligeramente de otros productos de jabón. En este tipo de producto, lo más frecuente es que contenga alcohol. Su inclusión permite que el proceso de fabricación se realice a temperaturas más altas.

Pero, ¿es realmente diferente de otros jabones?

Si nunca ha utilizado un jabón transparente, se llevará una sorpresa. Se siente mejor en la piel en comparación con otros jabones. Para los amantes de la espuma, este es su jabón. Crea una gran cantidad de ella. Muchas personas que lo han utilizado también elogian esa sensación de "limpieza chirriante" que deja.

Todo esto se debe a que los cristales que lo componen son más pequeños que la media y no tiene exceso de aceite. Algunas personas lo han descrito como un jabón que, en efecto, ha sido pre-disuelto. Esto hace que esté listo para hacer lo suyo en cuanto toque tu piel. Y por último, es muy fácil de aclarar. Y, a diferencia de otros jabones, no deja residuos en la piel ni en el lavabo.

Jabones Líquidos

Los jabones líquidos, aunque populares, son un poco más difíciles de reproducir en casa y, de hecho, tampoco son tan fáciles para los fabricantes comerciales. Por eso, muchos de los que se compran en las tiendas minoristas no son más que detergentes en atractivos envases.

Si no es diligente a la hora de leer las etiquetas de los muchos jabones líderes en los estantes de las tiendas minoristas, puede encontrarse comprando más de lo que esperaba.

Capítulo 3: Jabones Naturales Vs. Orgánicos

Tengo un amigo íntimo que está, bueno, vendido a la comida orgánica.

Y eso es algo bueno. Puede suponer un mundo de diferencia para tu salud. Algunos de nuestros amigos afirman que se ha pasado de la raya con esto de la comida orgánica y natural. No sólo está dispuesta a pagar lo que parecen precios increíbles por estos productos, sino que está casi obsesionada con los alimentos naturales.

Así que me sorprendió un poco cuando salí con ella un día y tuvo que comprar jabón para la familia. Compró ese jabón para el cuerpo "a ciegas", como yo llamo a las compras sin leer la etiqueta. Si se hubiera detenido un momento a leerla, habría encontrado una gran cantidad de ingredientes sintéticos e imposibles de procesar, algunos de los cuales les presentamos en el capítulo anterior.

El jabón, por lo que parecía a primera vista, era

cualquier cosa menos orgánico. Y no se parecía a ningún artículo que pudiera llamarse natural. Sin embargo, nunca se le ocurrió que con esa compra irreflexiva, estaba actuando bastante fuera de lugar.

Entonces, ¿cuál es el punto de este paseo por la tienda con ella?

Ella ha cuidado tan bien su cuerpo - y el de su familia - asegurándose de que la menor cantidad de toxinas posible entre en sus sistemas. Sin embargo, cuando se trata de su piel, no parece tener ni idea de que mucho de lo que se pone en ella se impregna en la piel y puede acabar afectando a sus órganos. A la hora de comprar jabones, champús y limpiadores, así como detergentes para la ropa y la vajilla, no parece tener el mismo nivel de dedicación.

O tal vez simplemente no sabe lo peligrosas que pueden ser las toxinas de los jabones.

Aquellas personas que tienen problemas de piel sensible pueden decirle la diferencia en su condición cuando cambiaron de jabón comercial a jabón natural y orgánico. Tal vez usted sea una de estas personas, o tal vez uno de sus hijos lo sea.

Puede que ni siquiera lo supieras hasta que "accidentalmente" te topaste con una pastilla de jabón natural y ecológico. Una vez que empezaste a usarlo y experimentaste el alivio de tus síntomas, ¡te convenciste! Juró que nunca más volvería a usar un jabón tóxico.

Cómo asegurarse de que el jabón comercial que compras es natural y ecológico. Tienes que convertirte en un detective como lo eres cuando compras alimentos orgánicos. Antes de que cualquier artículo entre en tu cesta de la compra, estudia la etiqueta. Y no me refiero a la parte delantera de la barra o del envase que te anuncia "hecho con ingredientes naturales". "Hecho con ingredientes orgánicos".

Cada vez que vaya a comprar, leerá más de eso. Los vendedores saben ahora que los consumidores ansían este tipo de garantías. Lo que algunos parecen haber olvidado es el "seguimiento mediante el uso real de ingredientes naturales y ecológicos".

Entonces, ¿cómo se puede estar seguro?

Lo primero es buscar jabones que lleven la etiqueta de "ecológico certificado" o que digan que son "100% ecológicos". Entonces y sólo entonces puedes estar seguro de que lo que vas a poner en tu piel es natural y orgánico y, lo más importante, libre de toxinas.

Nunca te equivocarás al elegir un jabón orgánico y natural si miras la etiqueta buscando ingredientes que te resulten familiares. Algunas personas dicen que tienen el hábito de comprar sólo jabones que contengan ingredientes que puedan pronunciar, en referencia a los muchos productos químicos de los de grado comercial.

Para empezar (incluso antes de comenzar su viaje de fabricación de jabón) hay una lista parcial de estas sustancias. A medida que hablemos más sobre cómo hacer su propio jabón, descubrirá por sí mismo las posibilidades de crear un jabón con algunos de estos mismos ingredientes frescos.

Los ingredientes más comunes que se encuentran en el jabón ecológico son

Savila	Aceite de Coco
Aceites esenciales	Canela
Manteca de Karité sin refinar	Leche de Cabra

Aceite de Oliva	Raíz de yuca silvestre
Semillas de girasol	Pétalos de girasol
Avena	Menta de Caballo Silvestre

La Diferencia Entre Natural Y Ecológico

Hoy en día se habla mucho de que los productos son naturales o ecológicos. Muchas personas asumen que si un producto está etiquetado como "natural" también es orgánico. Eso simplemente no es así. Un producto puede ser natural, pero no ecológico. Natural significa simplemente que se puede encontrar en la naturaleza, como los ingredientes mencionados anteriormente. Esos son ingredientes naturales, pero no son necesariamente ecológicos.

Un ingrediente orgánico es aquel que no contiene pesticidas químicos u otros ingredientes sintéticos para matar las malas hierbas o los insectos que pueden querer masticar las hojas o las flores.

La verdad es que te será difícil encontrar un verdadero jabón orgánico y natural en el estante de la tienda de comestibles de tu barrio. Si lo desea, puede intentar encontrarlo en una tienda más exclusiva, aunque el vendedor que le atienda probablemente le confesará que, debido a la necesidad de evitar que los jabones se pongan rancios, se añaden necesariamente algunos ingredientes no tan naturales.

Tres Claves Que Identifican A Los Jabones Ecológicos

Entonces, ¿existe realmente un jabón natural y

ecológico? A continuación, le presentamos tres cualidades que debe buscar cuando considere comprar jabones naturales y ecológicos.

1. Jabones producidos localmente

No siempre es así, pero las probabilidades están a su favor cuando compra su jabón localmente. Es más probable que estos artículos contengan ingredientes frescos y cultivados localmente. No siempre se puede garantizar que sea natural y orgánico, libre de toxinas, pero si inicias una charla amistosa con el vendedor o la propia jabonera, lo sabrás en cuestión de minutos.

Pero hay una ventaja añadida que puede interesarle cuando busque un jabón casero cercano. Los propietarios y operadores de las pequeñas empresas locales de fabricación de jabón suelen ser conscientes del tamaño de su huella de carbono.

Y no sólo eso, sino que al tratar con vendedores locales, estás ayudando a la empresa a ayudar económicamente a tu comunidad local. Es nada menos que una transacción y una relación en la que todos ganan.

2. El jabón artesanal fomenta las relaciones sociales

Piénsalo por un momento. El jabón artesanal es cualquier jabón que ha sido producido cuidadosamente y con amor a mano, en lugar de ser producido en masa en grandes equipos.

Cuando usted compra su jabón, las probabilidades de que haga ese intercambio son mayores que la media, no sólo con el propietario de la empresa, sino con la persona que también fabrica el jabón. Este hecho, por sí solo, tiene un sinfín de ventajas para realizar fácilmente pedidos especiales hasta conseguir un mentor en caso de que decida iniciar una pequeña empresa usted mismo.

También puede estar seguro de que ella o él también tiene conocimientos sobre al menos algunos de los aditivos sintéticos y perjudiciales que se encuentran en el jabón comprado comercialmente.

3. Los artesanos locales se preocupan por la calidad de sus productos

El hecho de que los fabricantes de jabón de

estas empresas locales estén haciendo jabón a mano, para empezar, es un gran indicio de que se preocupan por la calidad de sus productos además de ganar dinero.

Por supuesto, les interesa ganar dinero. Pocos de nosotros pondríamos en marcha un negocio con el único propósito de perder dinero. Pero estos comerciantes y artesanos locales también están interesados en hacer el mejor jabón que puedan. Cuando los conozcas, descubrirás la cantidad de pasión que tienen por sus productos y el compromiso que tienen con la salud natural y el medio ambiente limpio. □

Capítulo 4: Métodos De Fabricación De Jabón

Cuando tu amiga o compañera de trabajo te dice que hace jabón en casa, ¿se te nublan los ojos intentando visualizar cómo se hace?

Tal vez esto sea lo único que te frena a la hora de intentarlo tú mismo. Cuando habla de hacer jabón, se refiere a uno de los cuatro métodos habituales: fundido y vertido, proceso en caliente, proceso en frío y reagrupación.

Vamos a repasar brevemente estos métodos para que te hagas una idea de lo que es la fabricación de jabón.

Fundir Y Verter

En primer lugar, hablemos del proceso de fusión y vertido. Algunos fabricantes de jabón que utilizan el proceso en caliente o en frío pueden ser francamente snobs en su insistencia en que la técnica de fundir y verter no es en absoluto la fabricación de jabón.

Dependiendo de cómo se enfoque este método, puede ser el más fácil o el más elaborado y delicado de los proyectos. En cualquier caso, el proceso de fusión y vertido es el punto de partida perfecto para alguien que no sabe absolutamente nada sobre la fabricación de jabón.

6 Sencillos Pasos Para Hacer Jabones De Fusión Y Vertido

Es tan simple, de hecho, que puede describirse en seis sencillos pasos.

1. Comprar una base de jabón ya preparada.

No es lo mismo que el jabón con el que te lavas a diario. Ya hablaremos de ello más adelante.

2. Derrite la base de jabón hasta convertirla en un líquido.

3. Añade ingredientes adicionales a tu gusto, como aceites esenciales para los olores y propósitos de aromaterapia, colorantes así como hierbas para el atractivo.

4. Vierte todo esto en un molde.

5. Decora y diseña el jabón.

6. Dejar que se endurezca

No hay nada más fácil que esto. Utilizar el método de fusión y vertido puede ser tan sencillo como quieras. Si prefieres dedicar tu tiempo a dar rienda suelta al artista que llevas dentro en lugar de seguir mezclando y manipulando la lejía con cuidado, este es absolutamente el método que necesitas, al menos para empezar. Con un poco de decoración y la adición de algunas esencias, tus regalos de jabón casero serán muy bien recibidos, incluso anticipados en las fiestas y los cumpleaños.

Y, por supuesto, toda tu familia disfrutará de estos jabones tanto como del jabón creado mediante las técnicas de proceso en frío o en caliente.

A medida que vaya madurando en este pasatiempo, verá que sus pastillas de jabón se vuelven más elaboradas. También puede decidir que ha llegado el día de salir de su zona de confort y probar otro método.

El Método Del Proceso En Frío

Es cierto que el método de elaboración en frío requiere mucha más intervención por tu parte, al menos en las fases iniciales de la creación. Incluso se ha dicho que es el más difícil de todos los procesos de fabricación de jabón. Dicho esto, es probablemente uno de los más populares. Es un proceso satisfactorio. Sólo hay que tener la mente abierta al entrar en él.

El método de elaboración en frío, mi favorito, es bastante más complicado y mezcla perfectamente la ciencia con el arte. A diferencia del método de fundición y vertido, este proceso te permite crear tu propia base de jabón desde cero.

Básicamente, lo que estás haciendo cuando usas este método es una actividad llamada saponificación. Esta sola palabra ha asustado a muchos aspirantes a fabricantes de jabón sintiendo que ya está fuera de su alcance, porque nunca ha escuchado y apenas puede pronunciar la palabra.

Pero piénsalo. ¿Por que lo harias? De hecho, ¿por qué alguien usaría esta palabra cuando podría decir fácilmente "fabricación de jabón"?

La saponificación es el término científico de la reacción química que ocurre cuando una "base" y un "ácido" se unen para formar sal. No te preocupes; Esta será una breve lección de química. Pero debe tener al menos la comprensión mínima de lo que sucede cuando comienza a trabajar con el método de proceso en frío.

Si decide probar este método, mezclará lejía, también conocida como hidróxido de sodio, la base de la ecuación, con un aceite o grasa: ese es el ácido. ¿El resultado?

¡Jabón!

Solo una nota sobre este método: la ecuación de la cantidad de lejía que usa con la cantidad de aceite cambia de una sesión a otra para hacer jabón, según el tipo de aceite que use. La única forma de saber la proporción de lejía a aceite es consultando algo conocido como la tabla de saponificación. Lo he incluido en el Apéndice que hice para ti.

A esto se le agregan otros ingredientes a medida que se lleva a cabo la reacción química. Algunas de las adiciones pueden cambiar el curso de la reacción; otras adiciones no afectarán el proceso químico final. Son, sin embargo, elementos para hacer más atractivo o incluso caprichoso el producto final. Estos son elementos que incrustarás en el jabón.

Para ser honesto, cuando haces tu jabón de esta manera, te da la tranquilidad de saber qué hay en cada barra de tu jabón. Eso significa un control total sobre lo que pasa en tu piel, así como en la de tu familia. También significa que tiene el control total de cada ingrediente en el jabón. Si hay un ingrediente artificial en este tipo de jabón, significa que lo pones allí.

Instrucciones Más Detalladas Paso A Paso

Permítanme darles un ejemplo de los típicos pasos detallados en el proceso. Esta es la base de todas las recetas de elaboración de normas.

Cuando tenga una pregunta sobre el proceso cuando esté siguiendo una receta específica, siempre puede regresar aquí para ver si puede obtener alguna aclaración al respecto. Si todavía está perplejo, sabe a dónde puede acudir, Internet, específicamente YouTube.

Aceite de oliva 26.5 onzas

Aceite de coco 16.5 onzas

Aceite de palma 10 onzas

Lejía 209 gramos

Su elección de aceites esenciales 2.7 onzas - aroma opcional

Agua destilada 20 onzas

Tome los 209 gramos secos de su lejía seca y péselos. La manera más fácil de hacer esto es llenando una bolsa con cierre hermético, como una bolsa de cocina grande con la lejía y luego pesándola en una balanza digital.

Luego, pesa las 20 onzas de agua destilada, asegurándote de colocarlas en un recipiente resistente al calor.

Con cuidado, verterás la lejía en el agua.
Asegúrate de revolver mientras viertes la lejía.
Querrás revolver con un movimiento bastante
rápido. El mejor instrumento para esto es una
silicona, una goma resistente o un utensilio de
madera.

Continúe mezclando esto hasta que la lejía se
disuelva por completo. No se sorprenda cuando
los ingredientes se disuelvan juntos a medida que
la mezcla resultante comience a calentarse. Es
exactamente lo que se supone que debe hacer.

Tome su termómetro y colóquelo en la solución
de agua y lejía que acaba de crear. Luego déjalo a
un lado para cuando lo necesites más tarde. La
temperatura de esta solución debe bajar a
aproximadamente 95 grados Fahrenheit antes de
que puedas hacer algo con ella.

Mientras espera que se enfríe, mida sus 26,5
onzas de aceite de oliva, 16,5 onzas de aceite de
coco y 10 onzas de aceite de palma. Si recién está
comenzando, es posible que desee verter cada uno
de estos en recipientes de vidrio separados, al

menos para sus primeros intentos con este método.

Luego, derrita los dos aceites sólidos, el aceite de coco y el de palma, hasta que se vuelvan líquidos. Su mejor apuesta es usar una cacerola de 3 cuartos. Al hacer esto, querrás usar calor bajo. Lo último que quieres hacer es quemar estos aceites.

Ahora, tendrá que esperar hasta que los aceites se hayan enfriado y estén a la misma temperatura que la solución de agua con lejía, 95 grados Fahrenheit. Una vez que ambas mezclas estén a esa temperatura, podrá continuar.

Lo más probable es que necesite ajustar un poco las temperaturas para que queden perfectas. Si cualquiera de las mezclas cae por debajo de los 95 grados establecidos, puede elevarla simplemente colocando toda la olla en un fregadero lleno de agua caliente.

De manera similar, deberá enfriar la mezcla si no baja a 95 grados. En este caso, todo lo que necesitas hacer es colocarlo en un fregadero lleno de agua fría. Se paciente; encontrará la temperatura adecuada. Después de haber realizado esta parte del proceso de fabricación de jabón varias veces, descubrirá que hacerlo "bien" es casi una segunda naturaleza.

Este es un consejo que aprendí hace años. Una vez que la lejía llega a la marca de 95 grados, querrás transferirla a una taza resistente al calor con una boquilla. La boquilla es la clave porque será más fácil verterla en el aceite sin que se derrame.

A partir de aquí, añadirás poco a poco la solución de agua y lejía a los aceites en la olla grande para hacer jabón. Remueve continuamente como si hicieras un ocho en la mezcla. El objetivo es que la mezcla llegue a la traza. Si quieres utilizar una batidora de varillas, puedes hacerlo, pero úsala con cuidado. Querrás pulsar varias veces para asegurarte de que la mezcla no se mueve demasiado rápido y salpica fuera del tazon.

Ahora, mientras estás mezclando esto, vas a estar atento a los rastros. No sólo vas a buscarlo a la vista, sino que también puedes probar su estado. Rocía una pequeña cantidad de esa mezcla sobre la superficie del conjunto. Si el líquido permanece en la parte superior de la superficie aunque sea por un breve periodo de tiempo antes de volver a hundirse en ella, entonces has conseguido la traza. Este es el momento en que se produce la saponificación. Su jabón es ahora jabón y está listo para la siguiente sección del método de proceso en frío.

Completar el proceso de saponificación puede poner a prueba su paciencia. Esta es la parte de la receta en la que jurarías que el jabón empieza a tener mente propia y trata de bloquear tu progreso. Por supuesto, no es así. Muchas personas me han preguntado cuánto tiempo se necesita hasta que estos dos productos químicos separados se unifican mediante la reacción en cadena.

Nada me gustaría más que asegurarles que ocurre en un tiempo determinado y predeterminado, pero no puedo. El tiempo que tardan los dos elementos en convertirse en uno puede ser tan corto como ocho minutos y tan largo como una hora. Por supuesto, eso depende de los utensilios que utilices y de los tipos de aceites que hayas elegido para trabajar.

Es una gran idea, y muchos fabricantes de jabón pulido están de acuerdo conmigo, asegurarse de que mientras esperas la traza, debes comprobar la mezcla en intervalos de aproximadamente cinco a diez minutos. Así te aseguras de que la verás en su primera aparición.

Si esperas demasiado tiempo para comprobarlo, siempre corres el riesgo de que el jabón se vuelva sólido antes de que puedas sacarlo de la olla para ponerlo en el molde. Por supuesto, si utilizas una batidora de varillas, el tiempo de trazado se reducirá más que removiendo a mano.

Ahora viene la parte más artística de la receta. Es en este momento cuando añadirás al jabón los aceites esenciales, los nutrientes o los colorantes.

Si la receta que utilizas requiere alguno de ellos, revuélvelos sólo brevemente. Lo que se pretende es que la textura y el colorante se distribuyan uniformemente por todo el jabón.

Ahora puedes verter el jabón en el molde tan

rápido como puedas. Por cierto, esta es una receta de cinco libras que requiere un molde de cinco libras. Si después de haber vertido el jabón en el molde, encuentras que algún exceso de solución se pega a los lados del bote.

Lo más probable es que esos "restos" no hayan pasado por el proceso de saponificación y no sean más que un problema. En lugar de preocuparte por los restos, lo siguiente en este proceso es aislar tu jabón.

Es mucho más fácil de lo que parece. Aislar el jabón no es más que colocar un trozo de cartón o de papel para congelar encima del molde. Esto lo mantiene sellado del aire. Si quieres, también puedes envolverlo en una manta o una toalla. Deja que el jabón permanezca así de forma agradable y acogedora durante al menos 24 y hasta 36 horas.

Una vez que el jabón esté lo suficientemente firme como para cortarlo, podrás sacarlo del molde. Deberás cortar la parte grande del jabón en barras más pequeñas con un cortador de jabón. Observa bien tu jabón antes de empezar a dividir la barra grande. Algunos moldes tienen una guía de ranuras de corte para ayudarte.

Coge estas pastillas y colócalas en una rejilla para curarlas. Déjalas así durante una semana aproximadamente antes de darles la vuelta a su otro lado. Continúa así durante otras cinco semanas. Al final de este periodo de seis semanas, estarás listo para usar el jabón.

Si notas que hay polvo blanco en las pastillas, simplemente quítalo. Esto no es más que "ceniza de soda". Si lo dejas en el jabón, tenderá a resecar tu piel.

¿Crees que has terminado?

Bueno, casi. Todavía tienes que dar un paso más. Se trata de comprobar el nivel de pH del jabón antes de utilizarlo. Este es un paso especialmente importante si eres principiante en la fabricación de jabón.

Y eso nos lleva al.

El Método Del Proceso En Caliente

Como probablemente puedas adivinar, el proceso en caliente tiene paralelismos con su técnica hermana, el proceso en frío. De hecho, la principal diferencia entre ambas es que el calor en esta técnica acelera el proceso de saponificación.

Si vas a probar esta técnica, entonces aprenderás que vas a aplicar este calor en diferentes lugares a lo largo del proceso. Y puedes hacerlo tanto con tu horno, como con una olla de cocción lenta o incluso con un horno microondas. Esta es la técnica de fabricación de jabón que utilizaron los peregrinos cuando llegaron de Inglaterra.

Este proceso tiene algunas desventajas. Es posible que tenga problemas para sacar el jabón del molde. También puede descubrir, dependiendo de la forma en que esté llevando a cabo esta técnica, que también puede ser difícil colocar el jabón en el molde en primer lugar.

Pero dejando de lado esas desventajas, el

método de proceso en caliente también tiene un paso considerable en comparación con el proceso en frío. El tiempo de curación del jabón es mucho más corto. No hay que esperar semanas para utilizar el jabón.

Desde el momento en que tomé la decisión de "avanzar" en mis habilidades de fabricación de jabón a lo que yo veía como el siguiente nivel (que no es exactamente correcto, sólo tenía curiosidad) empecé a buscar en la web y en las librerías a alguien que me diera la información, directamente.

Todo lo que buscaba realmente, me decía a mí mismo, era una serie de pasos. Quería una serie de pasos claramente descritos que pudiera seguir para poder repetirlos cada vez que hiciera jabón. Así, estaría segura de que cada vez que hiciera jabón, obtendría la barra perfecta, a la primera, cada vez.

¿Era mucho pedir?

Evidentemente lo era. Si eso es lo que buscas, te ahorraré tiempo y energía. No lo vas a encontrar.

El problema con mis métodos de búsqueda era simplemente que no entendía completamente la saponificación que ocurría durante el método de proceso en caliente. Te voy a dar una pista desde el principio para que, a diferencia de mí, no pierdas tiempo y energía buscando estos pasos. Un tiempo y una energía que podrían dedicarse a lo agradable.

Hemos mencionado el proceso al hablar del método del proceso en frío. Es esa tabla en el apéndice de este libro que te muestra la proporción entre la lejía y el aceite que creará el medio perfecto para hacer jabón.

Durante el proceso en caliente, ya estás "cocinando activamente" el jabón, lo que significa que tu mezcla se está saponificando por sí sola. No tienes que hacer nada más que dejar que se cocine.

Sólo hay una regla dura y rápida que cualquier veterano en la fabricación de jabón le recalcará una y otra vez.

Nunca te alejes del método de proceso en caliente mientras tu jabón se está cocinando.

Lo sé, sólo quieres ausentarte un momento, pero hablo por experiencia cuando digo que el jabón de proceso caliente desatendido puede crecer salvajemente. Lo que tienes en tus manos es lo que algunos llaman un "volcán de jabón". Nada bueno puede salir de esto. Sólo crea un gran desorden que debes limpiar. Luego, añadiendo el insulto a la herida, como se dice, el lote de jabón al que te has dedicado se arruina. No hay manera de salvarlo.

El Proceso En Caliente Paso A Paso - El Método De La Olla Lenta

He seleccionado el método de la olla de cocción lenta porque casi todo el mundo tiene una. De esta manera, si te entusiasma este método, no te sientes obligado a salir corriendo a comprar una caldera doble simplemente para hacer jabón.

1. Poner la olla de cocción lenta a fuego lento.

Poner el aparato en la posición más baja posible reduce el riesgo de sobrecalentamiento y de crear accidentalmente ese volcán de jabón del que hablaba. Cocinar el jabón a fuego lento.

2. Hacer la solución de lejía

En este paso, calentarás los aceites que se piden en tu receta a 150 grados Fahrenheit. Antes de añadir la solución de lejía. Luego dejo que la solución se enfríe durante media hora. Este fue el paso más intimidante para mí cuando empecé a hacer jabón.

Primero colocas tus aceites en la olla de cocción lenta. Deja que se calienten. Una vez que alcanzan la temperatura, vierto un chorro fino de la solución de lejía. Mientras añado la solución de lejía, utilizo un batidor para remover la combinación. Algunas personas prefieren utilizar una batidora de varillas en este paso. Como trabajar con la lejía puede ser un poco peligroso, te sugiero que empieces con el batidor.

A medida que vayas ganando confianza -y esto será más rápido de lo que imaginas- podrás decidir si quieres utilizar una batidora de varillas. Si decides, por cierto, utilizar este último electrodoméstico, la forma más segura es pulsar el botón de pulsación. De este modo, la batidora no puede descontrolarse.

Sea cual sea el aparato que utilices, asegúrate de mantener un movimiento de batido casi constante. No querrás remover tan rápido como para que esto salpique y salga de la olla lenta.

Por otra parte, tampoco querrás dejar que la solución se quede sin hacer nada.

El objetivo de esta mezcla es que las moléculas de cada uno de estos ingredientes se fusionen para hacer algo completamente diferente de lo que se empezó. Eso sería el jabón.

Por último, el cuarto método de fabricación de jabón se llama...

El Método De Reutilización

Puede que también conozcas este método por su otro nombre, el método del jabón molido.

Esta técnica consiste en desmenuzar tu propia creación de jabón, fundirla y luego añadirle ingredientes. Este método está claramente relacionado con derretir y verter que mencionamos al principio. La diferencia es que en esta técnica no se utiliza una base de jabón ya hecha.

Por muy fácil que parezca, te sorprenderá saber que puedes utilizar este método de molido o de reagrupación, sin haber utilizado primero el proceso en frío o en caliente. Se utiliza predominantemente para guardar lotes de jabón que, de alguna manera, no han dado en el blanco y necesitan volver a fundirse antes de utilizar el jabón para un proyecto futuro.

Estos son los cinco pasos básicos necesarios para utilizar la técnica de fabricación de jabón molido o refundido.

1. Cree una base de jabón simple desde cero, por así decirlo, utilizando el proceso en frío o el proceso en caliente.

Sin embargo, no añadas nada extra que incluya aceites esenciales, nutrientes u otras sustancias.

En esencia, estás llevando el método de fabricación de jabón hasta el segmento de saponificación, por así decirlo. Para cuando hayas terminado esta parte de la técnica, deberías estar viendo una base de jabón pura y básica sin aroma, sin ningún tipo de ingredientes adicionales.

Si bien es posible que a veces veas algunos elementos en este jabón básico. Porque hay unos pocos fabricantes de jabón, que sí añaden elementos incidentales en este lote rectificado durante el método de proceso en frío. Pero la gran mayoría espera hasta más tarde para hacerlo.

2. Cortar el jabón en pastillas.

3. A continuación, no haga nada.

Así es. Bueno, eso no es exactamente correcto, pero se acerca bastante. Tendrás que esperar unas cinco o seis semanas hasta que el jabón se haya curado. Ese es el término que describe el proceso de endurecimiento. Lo que ocurre durante este periodo de espera es la evaporación del agua que se utilizó en la receta.

Un jabón curado dura más y tiene una textura más firme que una barra que no ha sido curada. Para obtener los mejores resultados del proceso de curado, debes guardar el jabón en un lugar fresco, seco y bien ventilado.

4. Rállalo.

Sí, has leído bien. Ralla tu jabón completamente endurecido.

Pero espera. . aún no has terminado.

5. Derrítelo.

Tendrás que derretir estas "virutas" en un horno microondas, una caldera doble o una olla de cocción lenta. Si quieres hacer esta técnica un poco más fácil, considera poner las ralladuras en una bolsa de plástico resistente al calor. Así, cuando llegue el momento de derretirlas, no tendrás problemas para verter una cantidad más precisa sin que se produzca ningún desorden.

También hay otra ventaja de hacer esto. Hace que sea mucho más fácil añadir cualquier extra a la mezcla. Añádelos a la bolsa y, a continuación, simplemente amásalos en el jabón mientras están en esa bolsa.

Cuando el jabón vuelva a ser una barra sólida, sácalo del molde y déjalo reposar. Si has seguido las instrucciones anteriores y ya has curado el jabón, no es necesario volver a curarlo.

La confusión viene cuando la gente "cura dos veces". Sienten que tienen que esperar otras seis u ocho semanas para utilizarlos.

Sin embargo, antes de utilizar este jabón, comprueba los niveles de pH. Esto asegura que es seguro de usar.

Capítulo 5: Equipo E Ingredientes Básicos

Si eres como yo, una vez que te decides a hacer algo, como hacer tu primera tanda de jabón, te entusiasmas tanto que puedes sentir la tentación de lanzarte a hacerlo antes de comprobar que tienes todos los ingredientes.

Antes de empezar cualquier sesión -no sólo las dos primeras tandas-, es conveniente asegurarse de que tienes todo lo que necesitas. Y tiene sentido disponer de ellos para poder hacer un inventario.

Si empiezas por impulso a hacer una tarta o unas galletas y descubres que no tienes suficiente azúcar, siempre puedes llamar a la puerta de tu vecina para que te preste una taza. Lo más probable es que la tenga. Es mucho menos probable que tu vecino tenga una taza de lejía para ti.

La siguiente lista contiene el equipo básico para hacer jabón que cubre los cuatro procesos. El hecho de que esté en la lista no significa necesariamente que lo necesites para la técnica específica que estés utilizando.

Equipo Básico Que Necesitará

Espacio Ventilado

Antes de ver el equipo, tienes que encontrar un espacio de trabajo en tu casa en el que puedas trabajar de forma segura. Esto significa que si has elegido trabajar con lejía -ya sea con el proceso en frío o en caliente- significa que necesitarás estar en una habitación bien ventilada. La lejía puede ser corrosiva. Lo mejor es que tomes todas las precauciones posibles cuando trabajes con ella.

Guantes De Goma, Gafas Y Mascarilla

Si eliges trabajar con lejía, necesitas absolutamente los guantes, las gafas y la mascarilla. Por supuesto, se trata de precauciones de seguridad, pero basta con un resbalón para que se produzca algo volátil. Sé que las gafas pueden ser caras, y que tu presupuesto puede ser ajustado, pero no seas tacaño a la hora de comprar estas gafas de seguridad.

Querrás comprar un par que sea muy parecido a los que se usan en los laboratorios. Y, por supuesto, la mascarilla es esencial para asegurarte de que no estás inhalando los vapores de la lejía. Este equipo específico

es especialmente necesario si utilizas el proceso en frío o el proceso en caliente.

Agua

Tanto si utiliza el proceso en frío como en caliente, descubrirá que necesitará agua destilada. El agua destilada es aquella que no tiene minerales ni contaminantes.

Puede que no te des cuenta ahora, pero notarás la diferencia cuando hagas el jabón con agua destilada o con agua del grifo. Necesitarás agua destilada tanto para el proceso en caliente como para el proceso en carbón.

También necesitarás agua del grifo para lavar

los productos químicos y otros ingredientes de tu lugar de trabajo, así como a ti mismo.

Olla DE Acero Inoxidable

Si utilizas el método del proceso en frío, necesitarás una olla de acero inoxidable para dedicarla al uso de la lejía. Comprueba dos veces que es realmente de acero inoxidable. No querrás usar aluminio. Y no, hagas lo que hagas, utilices esta olla para cocinar alimentos. La lejía tiene el potencial de ser peligrosa, así que es mejor mantenerla separada de tu equipo de cocina.

Cacerola de acero inoxidabble

Lo necesitarás para calentar tus aditivos, incluidas las grasas y los aceites. Recipientes de vidrio resistentes al calor y vasos medidores. No creas que puedes pasar por alto el uso de equipos de plástico. Algunos de los ingredientes se calientan tanto que es posible que derritan el plástico.

Cucharas Medidoras

Aquí hay una advertencia un poco diferente. Cuando midas la lejía, debes usar plástico. Probablemente te sorprenda esto. Pero hay una razón para ello. Hay metales específicos que pueden reaccionar con la lejía. Así que lo mejor es repartir la lejía inicial con cucharas de plástico. Esto no significa que debas usarlas para soluciones calientes, por si acaso el plástico se derrite.

Papel Ph

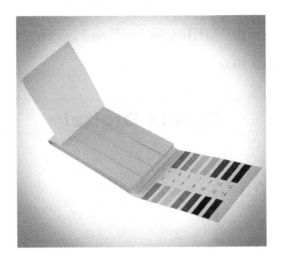

Por si tienes curiosidad, el papel de pH es la abreviatura de fenolftaleína. Más comúnmente, habrás oído hablar de ellos como tiras de tornasol. Las utilizarás cuando vayas a comprobar el equilibrio del pH del jabón. Es muy recomendable que lo hagas cuando utilices la técnica del proceso en caliente.

Pipetes

Técnicamente hablando, son necesarios, pero son las herramientas más sencillas cuando se miden pequeñas cantidades de ingredientes. Es posible que necesites añadir ingredientes en forma de "gotas", sobre todo si piensas utilizar aceites esenciales o de fragancia. Estos te resultarán muy útiles si utilizas cualquiera de los cuatro métodos.

Escala Digital

A la hora de la verdad, la balanza digital es, sin duda, la pieza más importante del equipo para la fabricación de jabón artesanal. Esto puede sorprenderle, pero considere que estas recetas con las que va a trabajar dependen de un grado de precisión bastante alto.

En concreto, querrá comprar una báscula que pese con una décima de medida en onzas y gramos. Esta báscula es esencial para los procesos en frío y en caliente, e incluso puede utilizarla para la técnica de fundido y vertido.

Termometros

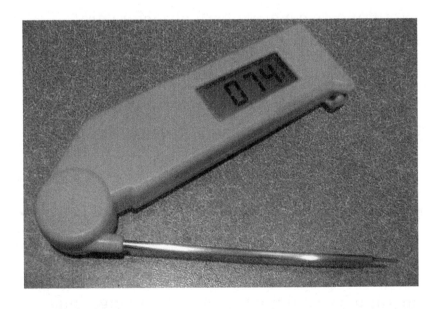

Es posible que quiera comprar dos de ellas. Son vitales para los procesos en frío y en caliente.

Espátulas De Silicona

Este tipo de espátula será esencial para ayudarte a mezclar. Definitivamente no querrás usar madera para esta parte del proceso. Usted descubrirá la necesidad de éstos, especialmente, cuando usted está utilizando los procesos calientes y fríos.

Cucharas Y Espátulas Para Mezclar

Puedes utilizar cucharas y espátulas de madera o metal para cualquier cosa que no tenga lejía.

Esto significa que son perfectas para la técnica de fundir y verter y para cuando se vuelve a mezclar.

Batidora Eléctrica De Varillas

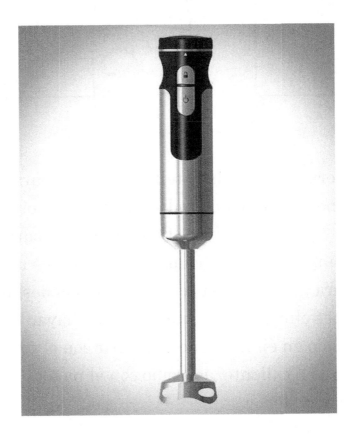

Utilizada en el método del proceso en frío, la batidora de varillas puede ser una herramienta valiosa. No sólo eso, sino que se trata de una pieza de equipo que podrá utilizar prácticamente en cualquier lugar y con cualquier cosa.

Alcohol Para Fricciones

Deberías tener una botella de alcohol para fricciones entre tus ingredientes básicos por si acaso, ya que es un ingrediente muy útil para tener a mano. El alcohol para fricciones es muy útil para alisar las superficies del jabón después de haber eliminado las burbujas que hayan aparecido en él. Esto puede ocurrir con el proceso en frío o en caliente, así como con el método de fundir y verter.

Microondas O Caldera Doble

Para calentar el jabón original, puede utilizar un microondas o una caldera doble. Pero te recomiendo que consideres seriamente el uso de una caldera doble. Una caldera doble es simplemente una olla más pequeña dentro de una olla más grande, donde la olla más grande o externa contiene y calienta el agua mientras que la olla interior más pequeña derrite la base de jabón. Es eficaz, seguro y barato.

Cocina Lenta

También llamado por su marca olla de cocciòn lenta, sólo lo necesitarás si vas a hacer el jabón mediante la técnica del proceso en caliente. El uso de este aparato acelera la saponificación. Y no creas que necesitas una olla de cocción lenta dedicada a la fabricación de jabón. Se cocinará el jabón y verás que no queda rastro de él.

Envoltur De Plástico

Sólo lo necesitarás si utilizas la técnica del proceso en caliente. Lo usarás para cubrir la olla lenta después de mezclar la lejía y los aceites.

Cuchillo

Lo que se debe utilizar es un cuchillo de tamaño medio para poder hacer cortes limpios en el jabón y en las bases de jabón cuando se elabora el producto mediante el método de fusión y vertido y cuando se hacen repartos.

Tabla De Cortar

Es bueno cortar el jabón y las bases de jabón en una tabla de cortar, pero no hace falta una cara. La utilizarás en las técnicas de fundido y vertido y de reagrupación.

Moldes De Jabòn

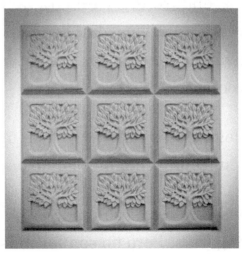

Los moldes, como probablemente sepa, se utilizan para crear la forma sólida de su jabón. Simplemente se vierte el jabón en un molde. Es aquí donde se endurecerá y tomará la forma del molde. Hay una gran variedad de moldes que puedes utilizar. Por cierto, los necesitarás para todos los procesos.

Puedes elegir entre cuatro tipos de moldes: de plástico, de silicona, de madera o de papel.

Los moldes de plástico son más baratos que los de otras categorías. Pero no son los más fáciles de trabajar. Una vez que el jabón se endurece, es posible que no se salga del molde con facilidad. No tienes nada que aprender para probarlos, especialmente para tus primeras tandas.

Los moldes de silicona son fáciles de usar y, además, bastante asequibles. No sólo esto, sino que son mejores que la versión de plástico para sacar el jabón endurecido de ellos. Pero, cuando lo compruebes, probablemente estarás de acuerdo en que no son los más resistentes. En algunos casos, también se sabe que los moldes de silicona distorsionan la verdadera forma del molde y, por tanto, del propio producto de jabón.

Moldes De Madera

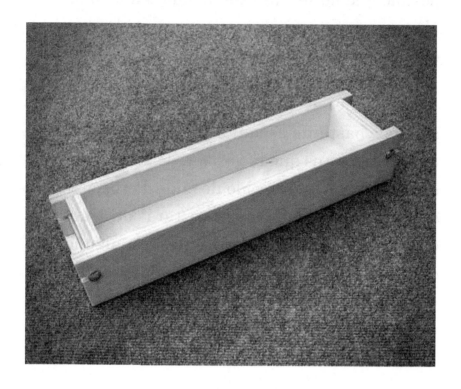

   ¿Nunca has oído hablar de ellos? Si no estás haciendo jabón actualmente, no me sorprende. Son más resistentes que los moldes de silicona y proporcionan un espacio más aislado para el jabón. Cuando los utilices, tendrás que forrarlos con papel encerado o con papel pergamino. Como es de esperar, estos moldes son de los más caros del mercado.

Moldes De Papel

Los moldes de papel son muy baratos. No, no estamos hablando de hojas de papel, sino de moldes hechos con productos de papel, como cartones de leche. Estos moldes, obviamente, no son tan resistentes como los demás, pero descubrirás que no tendrás muchos problemas para sacar el jabón endurecido del molde. En el peor de los casos, puedes simplemente arrancar el cartón de leche del jabón.

Papel Para Forrar

Este papel es necesario para forrar los moldes

de madera antes de verter el líquido en ellos. Si no lo tienes, también puedes utilizar papel de plástico para ello.

Cinta

La cinta adhesiva te servirá para fijar el papel de forro a los moldes de madera.

Herramienta De Corte Para Jabòn

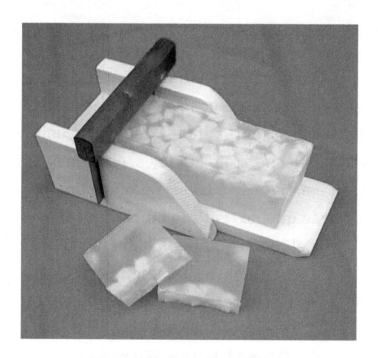

Esta "herramienta de corte" sirve para cortar el jabón endurecido en pastillas. En realidad, solo lo necesitarás si trabajas con moldes de madera o de papel.

Ingredientes Para Hacer Jabòn Que Necesitará

La siguiente es una lista de ingredientes que necesitarás tener a mano cuando estés listo para crear un lote de jabón. Una vez más, es mejor tener estos ingredientes a mano y algunos aceites diferentes, para poder elegir.

Lejia

También llamado hidróxido de sodio, es un ingrediente esencial en las técnicas de fabricación de jabón en caliente y en frío. Este producto químico cáustico induce la saponificación cuando se mezcla con una variedad de grasas y aceites.

Los Aceites

Básicamente, cuando se hace jabón mediante el proceso en caliente o en frío, se combina la lejía con un aceite, como el de oliva. No confundas estos aceites con los esenciales, de los que hablaremos más adelante en el libro. Los aceites esenciales son básicamente la esencia de ciertas plantas y hierbas curativas, además de proporcionar un atractivo aroma a tu producto.

Cuando empecé a hacer jabón, no era consciente de la amplia gama de aceites entre los que elegir para mezclar con la lejía. Y ciertamente no era consciente de las diferentes ventajas que aportaban al producto final.

Para darte una idea de lo que puedes hacer, incluso con tu primera tanda de jabón, he incluido una breve lista de algunos de los aceites más comunes que se utilizan en los jabones caseros. Estoy seguro de que algunos de ellos te resultan familiares.

Otros quizá no los conozcas. En cualquier caso, una vez que sepas que existen, te abrirán las puertas a una gran cantidad de jabones para tus amigos, tu familia e incluso para ayudar a un negocio de fabricación de jabones, si alguna vez quieres intentarlo.

También he incluido una descripción de algunos de los beneficios del uso de cada aceite.

Aceite De Semilla De Albaricoque

Con una vida útil de aproximadamente seis meses a un año, el albaricoque. Este aceite es un verdadero placer para la piel. Se absorbe rápidamente en la piel. Esto lo convierte en un excelente portador para el aceite de masaje.

Produce pequeñas burbujas en el jabón, por lo que intento mantener este aceite en un 15% o menos de toda la receta. La mayoría de los fabricantes de jabón mantienen su uso en un 10% aproximadamente. Intente conseguirlo, especialmente en su primer uso. Luego siempre se puede ajustar la proporción en lotes posteriores.

Aceite De Aguacate

Este aceite hace una barra de jabón suave. Y es uno de los más populares para usar en el método de proceso en frío. La mayoría de los fabricantes de jabón han descubierto que tienen los mejores resultados con él cuando lo utilizan en menos del 20 por ciento de toda la receta. Algunos incluso afirman que han descubierto que el porcentaje óptimo para los aceites de aguacate es del 12,5%.

El uso de este aceite tiene varios beneficios, entre ellos la abundancia de vitaminas que contiene, como la A, la B, la D y la E. El aguacate es una gran adición a cualquier aceite de masaje, si alguna vez decide hacerlos, así como a las lociones e incluso a las mantecas para la piel. ¿No está seguro de cuánto tiempo puede conservar este aceite y que mantenga sus beneficios? Puede guardarlo durante aproximadamente un año, después de lo cual debe comprar una nueva botella, sólo para estar seguro.

Mantequilla De Aguacate

No hay que confundirla con el aceite de aguacate, la manteca es sólida siempre que esté a temperatura ambiente. Es el ingrediente ideal para una gran variedad de productos para el cuidado de la piel. Además del jabón, es una gran adición a los bálsamos y a las mezclas de lociones, así como a los productos para el cuidado del cabello.

La manteca de aguacate procede del fruto del árbol del aguacate. Se transforma en una manteca de una suavidad inimaginable. Tiene un agradable y suave aroma. Cuando la utilices en tus recetas de jabón, probablemente querrás mantenerla alrededor del 12,5% del método de proceso en frío. Le garantizo que le encantará el resultado.

Cera De Abeja

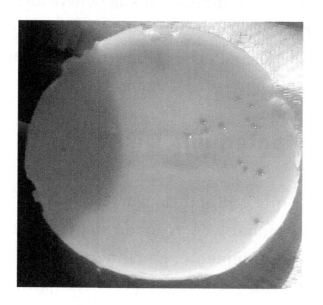

Hay dos tipos de cera de abeja: blanca y amarilla. La vida útil de éstas es, bueno, indefinida. Puedes conservarla durante años y debería ser tan eficaz como el día que la compraste.

¿Por qué la diferencia de color? Descubrirá que la versión amarilla está totalmente refinada. La variedad blanca, en cambio, está blanqueada de forma natural. Esto ocurre cuando se expone a finas capas de luz solar, aire y humedad.

Cuando se utiliza en el método de proceso en frío o en caliente, funciona como un agente endurecedor natural. Puede utilizarlo hasta en un 8% del total de su receta. Tendrá que manejarlo de forma un poco diferente a los otros "aceites". Debe fundirlo primero y luego añadirlo a su jabón cuando alcance la fase de trazos finos. Eso es un mínimo de 140 grados. Si no alcanzas esta temperatura, la cera de abejas se quedará endurecida en tu jabón.

Aceite De Canola

Sí, se trata del mismo aceite de canola que probablemente tenga ahora mismo en la estantería de la cocina y con el que cocina. Una de las mayores ventajas de este aceite es su coste. Es probablemente uno de los más económicos de todos los aceites de los que hablaremos. Eso es algo que hay que tener en cuenta cuando se está empezando y no se está seguro de qué esperar.

Cuando lo pruebes, puedes considerar utilizarlo con otros aceites, especialmente con el de coco y el de palma. De este modo se obtiene una pastilla de jabón "equilibrada". La mayoría de los fabricantes de jabón mantienen una proporción cercana al 15%. De este modo, el jabón será más blanco que si se utiliza aceite de oliva. Es un gran atributo a tener en cuenta. Eso significa que puedes utilizar una amplia gama de colores en él. Eso sí que es variedad.

El aceite de canola también libera una espuma cremosa que suele ser vital para una barra de jabón. Puedes considerar la posibilidad de sustituir el aceite de canola en una receta que requiera aceite de oliva en un 40% del total de aceites.

ACEITE DE CÁSTOR

De todos los aceites, éste es probablemente uno de los que no esperaba ver utilizado en la fabricación de jabones. A mí me tomó por sorpresa, al menos, la primera vez que oí hablar de él. Es el mismo aceite de ricino que tantas madres a lo largo de los años han intentado hacer tragar a sus hijos para ayudar a mejorar tantas dolencias.

Este aceite durará hasta un año en su cocina sin perder su eficacia. Su naturaleza espesa y viscosa proviene de la planta de ricino. Y sí, tiene un olor característico, pero puede estar seguro de que es bastante suave y no resulta abrumador cuando se utiliza en el jabón.

Cuando se utiliza el aceite de ricino en el jabón, actúa como un humectante. Esto significa que absorbe la humedad del aire y la pone en la piel. Otro de los beneficios de este aceite es que crea un cuero maravillosamente duradero.

Mientras que algunos fabricantes de jabón individuales han hecho este aceite casi el 25 por ciento de la receta total, es posible que desee mantener la proporción en aproximadamente el 10 por ciento. La mayoría de los fabricantes de jabón mantienen esta proporción incluso más baja en un rango entre el 2 y el 5 por ciento. Personalmente, he comprobado que usar más que esto sólo crea una barra de jabón suave y bastante pegajosa.

Sin embargo, el aceite de ricino es excelente para "sobre-engrasar". Por ello, tiende a crear grandes burbujas en el jabón.

Manteca De Cocoa

Sin duda, todos habéis oído lo buena que es la

manteca de cacao para la piel. Esta es su oportunidad de utilizarla para hacer su propio jabón personalizado con cacao. Esta manteca conservará su eficacia entre un año y dos años en su cocina.

A temperatura ambiente, es dura, incluso quebradiza. Por eso se llama técnicamente manteca y no aceite. Se utiliza en numerosos productos de belleza. Sin embargo, cuando se funde hay que tratarlo de forma similar al chocolate. Lo mejor es atemperarla para evitar que se cristalice durante el proceso en caliente. Si la utiliza en la técnica de proceso en frío, no tiene que preocuparse de atemperarla.

No utilice la manteca de cacao en más de un 15% de la receta; incluso una proporción menor funciona bien. Y tenga en cuenta que el aroma natural a chocolate de la manteca de cacao puede enmascarar cualquier aroma suave que pueda añadir a la barra.

Aceite De Coco

Este aceite, que parece ganar cada día más adeptos, conservará su eficacia incluso después de un año en la estantería de su cocina. Probablemente no le sorprenderá saber que es uno de los aceites más utilizados no sólo por los fabricantes de jabones caseros, sino también por los comerciales.

Puedes encontrar muchos tipos de aceite de coco, algunos de los cuales pueden tener diferentes puntos de fusión. Sin embargo, los dos que más verás son los que tienen puntos de fusión de 76 y 92 grados. Esto significa que tiene uno de los puntos de fusión más bajos de casi todos los aceites sólidos. A modo de apunte, ambos puntos de fusión tienen idénticos valores de saponificación. Esto significa que se pueden utilizar ambos en la misma receta.

Otra ventaja de utilizar el aceite de coco en una receta es su excelente reputación como agente limpiador. No sólo limpia, sino que produce grandes y deliciosas burbujas. La desventaja de esto es que a veces hace su trabajo demasiado bien y en realidad le quita a su piel una parte de su humedad natural. Esto deja la piel seca. Algunas personas incluso han experimentado una piel irritada.

La mayoría de los fabricantes de jabón han descubierto que una proporción del 25% crea el equilibrio perfecto sin tener que preocuparse por la sequedad de la piel. Si usted o la persona para la que está creando este jabón tiene la piel sensible, entonces es mejor mantener esta proporción a no más del 15 por ciento - incluso puede ser inútil si lo desea.

Mantequilla De Café

Esta es otra mantequilla de la que nunca había oído hablar hasta que empecé a hacer jabón. Es una manteca rica que la convierte en el ingrediente perfecto para cualquier tipo de loción, manteca corporal y, sí, incluso jabón. Se crea a partir de una mezcla de aceite vegetal hidrogenado y aceite de semillas de café. Y, lo crea o no, realmente contiene algo de cafeína.

El contenido de cafeína oscila entre el medio y el uno por ciento. Y en caso de que te lo preguntes, tiene ese aroma natural a café. Una

vez que utilice el jabón, descubrirá que la
manteca de café contribuye a darle una textura
suave y cremosa. Si lo utiliza en el método de
elaboración en frío, no querrá utilizar una
cantidad superior al seis por ciento.

Aceite De La Ume

Sí, has leído bien. Aceite de emú. Ni siquiera lo
mencionaría, pero se ha promocionado durante los últimos
años como un ingrediente "milagroso" que curará, bueno,
casi cualquier cosa que le afecte. Se supone que tiene
propiedades anti-inflamatorias y anti-irritantes.

Es discutible si eso es cierto, pero yo lo he utilizado en el jabón con gran éxito.

Se puede utilizar en el método de elaboración de jabón en frío en una proporción no superior al 12,5%. Es posible que quiera utilizar este aceite al menos una vez. Se dice que es un ingrediente que "ama la piel". Incluso puede querer combinarlo con aceites esenciales que también tienen propiedades antiinflamatorias. Algunos de estos aceites esenciales son el eucalipto, el anís y la pimienta negra.

Aceite De Onagra

Este aceite, ampliamente conocido, tiene la reputación de tratar eficazmente la piel seca o irritada. Esto se debe a su abundancia de ácidos grasos. Su vida útil en la cocina es bastante corta, ya que sólo dura de seis a doce meses. Si decide utilizarlo, no debería emplear más del seis por ciento del total de sus aceites en cualquier receta de proceso en frío.

Ahora, está listo para abrazar y disfrutar de las partes más creativas del proceso de fabricación de jabón, añadiendo los toques cariñosos que hacen que el jabón sea únicamente suyo. En el próximo capítulo, aprenderás a añadir aromas. Al menos, aprenderás lo suficiente como para despertar tu interés y descubrir aún más cuando estés listo para continuar tu viaje.

Capítulo 6: Fragancias De Diseño Con Un Presupuesto De Tienda De Segunda Mano

Si entras en cualquier tienda de salud y belleza que venda jabones, lociones y otros artículos aromáticos, no tardarás en recorrer toda la tienda oliendo las distintas fragancias. Algunas tiendas incluso te animan a ponerte una pizca de loción en las manos, para que puedas hacerte una idea realista de cómo huele en ti.

Por desgracia, muchos de esos productos tienen un precio bastante elevado para lo que se obtiene. Al final de tu jornada de compras, te encuentras comprando un jabón de eficacia probada. Puede que no tenga un aroma curativo, excitante o incluso relajante. Pero es lo que te puedes permitir.

¿Alguna vez te has parado a pensar qué pasaría si pudieras crear aunque sea algunas de esas fragancias en casa?

Ahora puede hacerlo. Hacer tu propio jabón significa que estás a cargo de todos los aspectos del proceso de fabricación del jabón, y eso incluye encontrar el aroma perfecto para el destinatario. Si estás haciendo el jabón para tu propio consumo, entonces, por supuesto, vas a elegir tu aroma favorito.

Si vas a regalar el jabón y sabes quién lo va a recibir, puedes personalizar la fragancia para esa persona. Es un regalo maravillosamente pensado.

Pero lo mejor de esta fragancia hecha a medida es que cuesta sólo una cuarta parte del precio que tendría el jabón de una tienda de salud y belleza.

Sorprendentemente, muchos jaboneros novatos dudan en jugar con la fragancia de sus productos. Es una pena, porque se están perdiendo uno de los aspectos más creativos e imaginativos del pasatiempo de la fabricación de jabones

Se saltan este paso porque lo temen. "¿Y si lo estropeo?" Entonces guardan ese jabón para otra ocasión y buscan otro aroma.

Añadir Aroma Al Jabòn

No es ni mucho menos tan difícil ni tan
intimidante como se piensa a primera vista.
Cuando haces jabón, tienes tres maneras de
personalizar el producto con tu aroma.

Puedes utilizar un "aceite de fragancia" o un
aceite esencial puro para el jabón. Puedes añadir
varios líquidos aromáticos, siendo el café y el té
los más populares. Hay otro método que consiste
en añadir hierbas o flores a tu jabón.

El Gran Debate Aceite De Fragancia Vs. Aceite Esencial

(ACEITES DE FRAGANCIA)

Si nunca has formado parte de la comunidad de fabricantes de jabones, probablemente no sepas que hay un gran debate en marcha. Se trata del uso de aceites de fragancia en comparación con los aceites esenciales.

Ahora, a primera vista, puede que se pregunte qué ha provocado esta disputa. Pero cuando sepa que los aceites de fragancia se fabrican de forma sintética, toda la discusión parecerá más racional.

Los aceites de fragancia son fórmulas o combinaciones especiales de sustancias químicas o, en algunos casos, aceites esenciales que crean ese aroma único que vamos a admirar a las tiendas de baño y belleza. Cuando se crea una fragancia, la corporación que la originó puede conseguir que esté protegida por la Administración de Alimentos y Medicamentos.

Esto contrasta con los aceites esenciales, que suelen ser un único ingrediente natural extraído de una parte de la planta.

Si ha decidido que quiere ser natural y orgánico en la elaboración de su jabón, probablemente debería pensárselo dos veces antes de recurrir a esas fragancias elaboradas sintéticamente.

Por supuesto, la decisión del tipo de fragancia a utilizar siempre depende de ti. Tenga en cuenta que los aceites de fragancia no son naturales. Sin embargo, son bastante más baratos que los aceites esenciales. Y para ser sinceros, hay una gama más amplia de aceites de fragancia que de aceites esenciales para utilizar. Esto significa una mayor variedad de aromas para el jabón.

El uso de aceites de fragancia tiene otra desventaja. En ocasiones, pueden ser responsables de lotes de jabón fallidos. Esto puede ser desolador, independientemente de los años que lleves en este pasatiempo. Cuando estás empezando y esto ocurre, es especialmente doloroso. Puede ser incluso el punto de no retorno para algunos jaboneros novatos. El punto en el que dicen "¿de qué sirve?".

El problema se complica aún más por el hecho de que cuando compras tus aceites de fragancia, realmente nunca sabes de qué están compuestos. Es cierto. La FDA no obliga a los fabricantes de fragancias a revelar todos sus ingredientes.

Si decides utilizar aceites de fragancia -y muchos fabricantes de jabones caseros lo hacen-, ten en cuenta estas cosas. En primer lugar, no son naturales. Segundo, son más baratos.

Entonces tienes que preguntarte, en este momento, ¿cuál es el punto más importante de tu viaje?

¿Qué Pasa Con Los Aceites Esenciales?

(ACEITES ESENCIALES)

¿Esta categoría de aceites esenciales? ¿Natural o no?

Me gustaría poder decirte que este es un tema fácil de tratar. Pero no lo es. Empecemos por lo más evidente. Los aceites esenciales son, en sí mismos, naturales. Eso no significa que los métodos utilizados para extraer los aceites de las sustancias sean naturales.

No todas las empresas recogen las plantas de las que proceden los aceites de forma natural. Por lo tanto, si se toma en serio el hecho de ser 100% natural, entonces tendrá que aprender cómo cosechan sus plantas.

Pero incluso entonces, algunas empresas, con el fin de obtener el aceite de las plantas más rápidamente, pueden utilizar medios menos naturales para lograr esto. De nuevo, si tiene alguna duda sobre la marca que está utilizando, tendrá que investigar sus métodos.

¿Por Qué Son Populares Los Aceites Esenciales?

Con todo el misterio que rodea a la recolección y extracción de estos aceites, ¿por qué los fabricantes de jabón los adoran?

La verdad es que los aceites esenciales tienen varias ventajas no sólo para establecer un aroma sino para mantenerlo durante toda la vida de la pastilla de jabón. Este tipo de aceite proporciona un aroma más fuerte que otras opciones. No sólo eso, sino que, si decide utilizarlos, descubrirá que los aromas duran más tiempo una vez que se encuentran en el producto terminado.

Si utilizas aceites esenciales, puedes estar seguro de que el aroma de tu jabón es duradero, pero también de que tu cuarto de baño y tu cocina tendrán un aroma único, con el que estarás encantado.

También apreciará el uso de aceites esenciales por otra razón. La mayoría de los fabricantes de jabón los consideran "ingredientes conocidos". Con esto quieren decir que usted sabe de antemano lo que puede esperar. Si utilizas un determinado tipo de aceite, una vez que trabajes con ellos durante un tiempo, también podrás hacer una conjetura sobre si la combinación que elegiste será la causa de un lote fallido.

Algunos Aceites Eenciales No Soportan El Calor

Puede parecer una broma, pero es demasiado cierto. Una de las desventajas de los aceites esenciales es que se descomponen a algunas de las temperaturas que las recetas exigen para garantizar la saponificación. Otra razón por la que algunos no funcionan bien es porque no tienen el mismo aroma delicioso después del proceso que antes.

A continuación se muestra una tabla rápida de algunos de los aceites esenciales conocidos por su fiabilidad a la hora de soportar el proceso de elaboración del jabón. Por supuesto, no son los únicos, pero sí algunos de los más populares.

Aceites Esenciales Recomendados Para La Fabricaciòn De Jabòn

Almendra	Canela	Citronela
Clavos de olor	Eucalipto	Lavanda Francesa
Jazmín	Naranja	Vainilla
Menta	Rosa	Salvia

¿Cantidad De Aceite Esencial A Utilizar?

Esta pregunta me la hacen a menudo. Cuando respondo que es un juicio personal, los novatos del pasatiempo gimen. Y con razón. Después de todo, si nunca has trabajado con jabones y nunca has trabajado con aceite esencial, no es una gran respuesta. Al fin y al cabo, no tienes una línea de base por la que juzgar tus cantidades.

Una de las formas de estimar la cantidad a utilizar es pensar primero en cómo se va a utilizar el jabón. Si sabes que va a ser una pastilla que no se va a utilizar en absoluto, excepto como decoración en una habitación, entonces sé bastante generoso con los aceites. Esperará que los aromas duren un tiempo para añadirlos al ambiente de la habitación.

Sin embargo, si usted o un miembro de su familia lo va a utilizar a diario, eso le da una nueva perspectiva sobre la cantidad que quiere poner en la receta. Uno de los aspectos que querrás tener en cuenta es cómo reaccionará el aroma con tu piel. La canela puede ser un aroma bastante fuerte si la usas para tu ducha diaria. Pero si estás poniendo este aceite en una barra que se utilizará para un lavado de pies, estás en el camino correcto.

Algunos fabricantes de jabón han creado varias directrices de base. Empiezan con estas pautas y luego las ajustan según sea necesario en futuros lotes. Por eso, muchos de nosotros mantenemos una caja de recetas y anotamos la cantidad de aceites, así como otros cambios que hacemos. Así tenemos una idea de qué hacer, si es que hay que hacer algo, para ajustar la receta para la próxima vez que la usemos.

Una amiga mía ha desarrollado una regla que le funciona bien. Por cada 30 onzas de jabón que hace, utiliza entre 1,5 y 2 onzas de fragancia. Me dice que esto es suficiente, con la mayoría de los aceites para soportar el proceso de fabricación del jabón y aún así no es duro para su piel. Para un principiante, estas cifras pueden ser útiles porque, como mínimo, le dan un punto de partida.

El Momento De Añadir El Aroma

La siguiente cuestión más importante es la del calendario. La respuesta es muy sencilla. A menos que se especifique lo contrario en una receta, la fragancia (y todos los demás aditivos como el color, las hierbas o los trozos de jabón viejo) justo antes de que el jabón haya alcanzado la traza completa. Una vez que haya puesto los aditivos, sólo se necesitan unas pocas mezclas más del jabón. Si mezclas más, hay más posibilidades de que lo que acabas de añadir se agarre al jabón o haga que se cuele.

Cuando el jabón se agarra, significa que el proceso de saponificación se ha detenido o, como mucho, se ha ralentizado. Dependiendo del grado de agarrotamiento, el jabón puede salvarse.

Capítulo 7: Colorea Lo Bonito: Cómo Añadir Color

¿Está preparado para aprender lo que muchos consideran la mejor parte del proceso de fabricación de jabón: crear barras atractivas y coloridas?

La buena noticia es que tiene un sinfín de opciones entre las que puede elegir.

¿Quieres una pastilla de jabón brillante "neón"? No hay problema.

Tal vez seas más del tipo de personas que prefieren los colores pastel, inclinándose por los tonos de rosa y lavanda. No te preocupes, podrás hacerlo.

¿La mala noticia? Es posible que no puedas utilizar tanto los colores brillantes como los pastel en una sola barra. Los colores brillantes se completan con más éxito utilizando un método sobre el otro.

Lo Primero Es Lo Primero

Añadir colores al jabón implica el uso de lo que se llama colorantes. Es difícil encontrar una única definición de este término, como descubrirá si alguna vez investiga los métodos de fabricación de jabón. Cuando lo uso en este libro, significa un agente que se utiliza para colorear o cambiar el color de una barra de jabón natural.

Lo primero que debes saber es que el tipo de colorante que elijas determina, en gran parte, la vivacidad del color que finalmente aparece en el jabón. Por ejemplo, la categoría de colorante llamada mica. Cuando se utiliza en el método de fusión y vertido, añade un color rico y casi brillante al jabón.

Pero, si se utiliza la misma mica en el método de proceso en frío, buscando el mismo resultado, es probable que se decepcione. Es posible que al utilizar la misma cantidad en un momento diferente sólo obtenga una versión apagada de lo que quería conseguir.

Eso no quiere decir que esta última variante

del color no sea hermosa a su manera. Lo es. Pero no es el resultado que buscabas. Antes de utilizar cualquier nueva forma de color en una receta, pruébala antes de tomar la decisión final.

A continuación se ofrece una breve lista de una variedad de puede utilizar para añadir color a su proceso particular de fabricación de jabón.

Mica

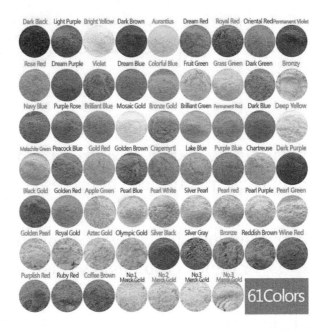

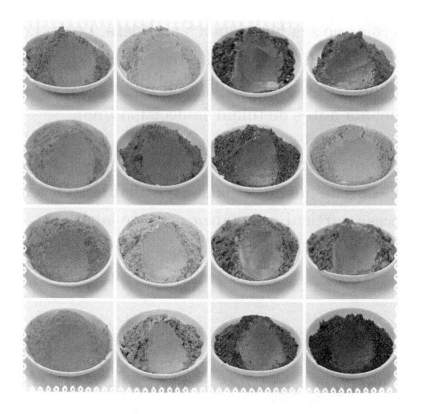

Como ya hemos mencionado la mica, podemos seguir en esta línea. Este colorante está casi garantizado para trabajar con el proceso de fusión y vertido. La mica se puede encontrar, en una gloriosa variedad de colores, prácticamente en todas partes. Si tienes problemas para encontrarla en las tiendas de pasatiempos y manualidades más cercanas, puedes encontrarla en las tiendas de jabones online. Si nunca has consultado estas tiendas, te llevarás una gran sorpresa.

Descubrirás que puedes utilizar la mica con total confianza si practicas el método de fusión y vertido.

Sin embargo, no se puede decir lo mismo si pruebas los colorantes de mica en el método de proceso en frío. Si está buscando estabilidad de color para sus jabones naturales y orgánicos, entonces puede querer usar pigmentos. Estos proporcionan a su jabón de proceso en frío una opción viable para la creación de productos con tintes brillantes.

Se mantienen fieles a su color original. Piensa en ello como una variación del dicho "lo que ves es lo que obtienes". El color que ves como pigmento es el que obtienes en tu jabón".

Sin embargo, lo bueno de los pigmentos es que pueden tener una "doble función". Puedes utilizarlos con confianza tanto en el método de fusión y vertido como en el de proceso en frío.

Sólo hay una cosa que debes tener en cuenta cuando utilices pigmentos en la técnica de fundido y vertido. Algunos de los colores más profundos tienden a aglomerarse o a motearse en el producto final. Un color llamado pigmento Chrome Green Oxide es un ejemplo perfecto de esto.

Pero sabiendo esto, hay una manera de aliviar ese problema. Basta con mezclar el pigmento con alcohol isopropílico al 99% o glicerina líquida. Otra forma de superar este problema es utilizar lo que se conoce como bloques de color. Si nunca ha oído hablar de ellos, son pigmentos micas altamente concentrados que se mezclan fácilmente en el jabón.

Utilizarlos casi le garantiza unos resultados satisfactorios y deliciosos, especialmente con el método de fundir y verter.

Prueba Los Colores Del Laboratorio

Sin embargo, otra opción para colorear, adecuada para estos dos métodos, se llama Colores de Laboratorio. Los tintes líquidos altamente concentrados son especialmente útiles cuando el objetivo es conseguir colores brillantes y vibrantes. La única desventaja es que a veces sangran. Tenlo en cuenta a la hora de crear tu diseño.

Esto nos lleva a la categoría que mejor se llama colores naturales. Las hierbas y las arcillas entran en esta categoría. Funcionan bien con estas dos técnicas. Sin embargo, estos tipos de colorantes funcionan mejor cuando quieres conseguir un color más tenue.

¿Cuánto?

Esta es la pregunta natural que se hacen todos los principiantes. ¿Cuánto es demasiado?

En la mayoría de los casos, hay que encontrar la respuesta a través del "ensayo y error". Quizá no sea la respuesta que querías oír. No te sorprendas si utilizas hierbas y arcillas sólo para descubrir que no han resultado tan brillantes como esperabas.

Tampoco puedo ofrecerle ninguna proporción rígida que pueda utilizar para garantizar el mismo color, incluso si utiliza exactamente la misma proporción cada vez. No toda la esperanza está perdida. Hay algunos secretos que emplean los fabricantes de jabón para no encontrarse con un color totalmente diferente al que esperaba. Cuando añadas el color, ten en cuenta los siguientes factores, y deberías acercarte al color que habías previsto.

Si utiliza el método de fundido y vertido o incluso la técnica de proceso en frío, comience utilizando una cucharadita de color por cada cucharada de un aceite ligero, como el aceite de almendras. Si estás haciendo un lote relativamente grande, puedes mezclar dos cucharaditas de colores en dos cucharadas de aceite.

Incluso puedes hacer una proporción de tres y conseguir un buen color brillante. En la práctica, si usas demasiado color, el color puede desprenderse en la toalla que has usado o dejar residuos de color en tus manos.

Cuando se trabaja con el método de fundir y verter, el secreto para obtener el color perfecto es comenzar con una fórmula básica de media cucharadita de mica por cada libra de jabón, tanto de la base como de la otra. Si eso no es lo suficientemente brillante, no hay que preocuparse. Simplemente añade un poco más cada vez hasta que estés satisfecho con el tono.

La conclusión es la siguiente: estos secretos existen simplemente para reducir el tiempo que pasas experimentando con varias proporciones.

El Color Y Sus Aceites

Un aspecto de la coloración del jabón en el que la mayoría de los novatos no piensa es cómo interactúan el tipo y, más concretamente, el color del aceite que se ha mezclado con la lejía. Esto se explica mejor con un ejemplo. Si se utiliza aceite de oliva, por ejemplo, es de esperar que el propio aceite tiña el jabón de un amarillo verdoso. ¿Por qué? El jabón toma el color del aceite.

Entonces, ¿puede garantizar que puede conseguir colores "verdaderos" en su producto final? Si es así, ¿cómo lo hace?

Por supuesto, puede mantener los colores verdaderos. Y como probablemente haya adivinado por la ilustración de la que acabamos de hablar, puede empezar utilizando un aceite de color claro. Los aceites de palma y de coco, así como el aceite de almendras dulces, están entre los más claros.

Otra forma de aportar matices reales a tu jabón es con una sustancia llamada óxido de titanio. Se trata de un pigmento blanco opaco natural que puede ser un utensilio inestimable en tu caja de herramientas de coloración.

Sin embargo, si se toma en serio la creación de jabones naturales y orgánicos, ésta es sin duda una sustancia que no debe utilizar. Las últimas investigaciones demuestran que esta sustancia provoca cáncer de pulmón en las ratas cuando han sido sobreexpuestas a ella. Desde esta perspectiva, el óxido de titanio, suena menos que una sustancia natural.

Los fabricantes de jabón que se toman en serio la producción de colorantes naturales y orgánicos hacen el siguiente uso posible de la fase de gel del proceso. Así es como lo hacen.

Como probablemente recuerde, el jabón alcanza casi 180 grados. Si se ponen los colores en este momento, el calor hará que los colores "salten".

Además, los colores adquieren un ligero, pero notable, aspecto brillante. Esto hace que la barra sea aún más atractiva. Esta técnica funciona mejor tanto con los colorantes naturales como con los colores artificiales.

Si busca colores aún más brillantes que los que produce esta técnica, puede conseguirlos fácilmente utilizando el método de fundir y verter. El secreto de esto es comenzar con una base clara. Si tu objetivo es más bien un aspecto pastel, utiliza una base blanca. La base aclarará los colores que le añadas.

Almacenar el jabòn para mantener el color vivo.

Lo último que quiere es almacenar su jabón y volver a él algún tiempo después, sólo para encontrar una diferencia de color notable y decepcionante. Los colores se han desvanecido.

Esto no sucederá si se piensa en el proceso de almacenamiento. Nadie necesita decírtelo, pero como recordatorio, no guardes el jabón bajo la luz directa del sol. Nada causa más rápido el desvanecimiento que eso. Tu jabón casero debe guardarse en un lugar oscuro y fresco.

Los Colores Básicos

Hay tres colores primarios de los que están
hechos todos los colores del arco iris y bajo el sol.
Estos colores son el magenta, el amarillo y el
cian: o, más típicamente, el rojo, el azul y el
amarillo. Cuando se mezclan en pequeñas dosis,
se puede crear cualquier color que se pueda
imaginar.

De esta manera, se produce la rueda de colores.
La rueda de colores es una herramienta básica
que se utiliza para combinar colores y fue creada
por Sir Isaac Newton en 1666. La rueda se diseñó
para que, básicamente, cualquier color que elijas
del círculo quede bien combinado.

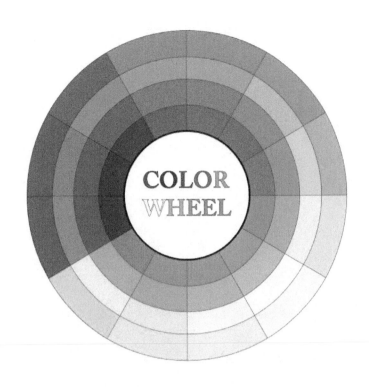

La rueda ha cambiado ligeramente a lo largo del tiempo, pero la versión básica sigue presentando doce colores. Hay combinaciones de colores tradicionales que resultan naturalmente más llamativas cuando se emparejan: son las llamadas armonías o acordes de color. Esto ocurre cuando dos o más colores tienen una relación específica entre sí en la rueda de colores.

(Colores primarios)

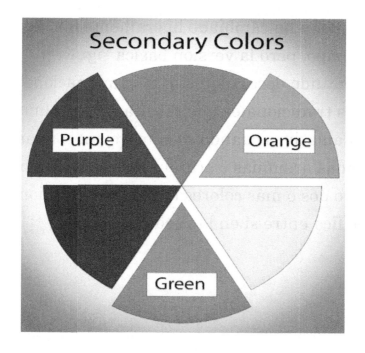

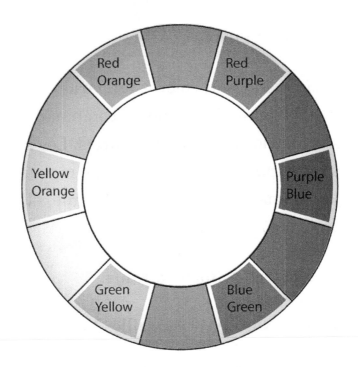

(Colores terciarios)

Colores Primarios, Secundarios Y Terciarios

Como he dicho antes, los colores primarios en una rueda de color son el rojo, el amarillo y el azul. Luego vienen los colores secundarios: verde, naranja y morado.

Azul + Amarillo = Verde

Rojo + Amarillo = Naranja

Rojo + Azul = Púrpura

Por último, hay seis colores terciarios que pueden producirse simplemente combinando los colores primarios con los secundarios. Los seis colores terciarios son el rojo-naranja, el amarillo-naranja, el amarillo-verde, el azul-verde, el azul-violeta y el rojo-violeta.

Rojo + Naranja = Rojo- Naranja

Amarillo + Naranja = Amarillo- Naranja

Amarillo + Verde = Amarillo- Verde

Azul + Verde = Azul- Verde

Azul + Púrpura = Azul- Violeta

Rojo + Púrpura = Rojo- Violeta

Aunque sólo hay siete colores del arco iris, el espectro de matices, tintes y la variedad general de colores mezclados son infinitos. Puede que pienses que todo lo que tienes que hacer para colorear el jabón es simplemente echar un poco de colorante en tu lote y obtener el color exacto que tenías en mente para tu jabón.

Puedes conseguir el tono perfecto de rosa o un tono verde natural para que tu color ideal se manifieste en tu limpiador casero. Sin embargo, se necesita un poco más de tiempo, precisión en los ingredientes y consideración para conseguirlo.

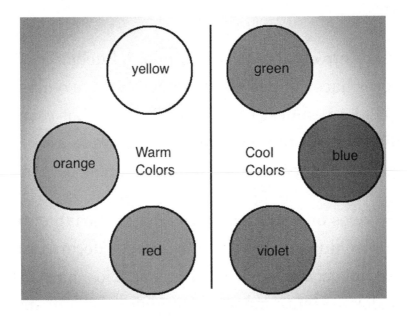

Los colores se clasifican en dos subsecciones: cálidos y fríos. Los colores cálidos son intensos, enérgicos, vibrantes y se asocian con emociones intensas. Piense en un naranja vivo o en un rojo intenso y apasionado.

Otros ejemplos de colores cálidos son el rojo-violeta, los amarillos, los marrones, los naranjas y los rojos. Los colores fríos evocan una sensación de calma y relajación, y son relajantes. Los colores fríos se asocian a menudo con la naturaleza y la meditación, como el verde brillante del bosque o el hermoso azul del océano. Los colores fríos se componen de morados, azules y verdes.

Ahora te estarás preguntando: "¿Pueden los colores hacer que te sientas más caliente o más frío?". La respuesta es absolutamente. Los colores cálidos y fríos también pueden hacer que una habitación parezca más luminosa o más oscura.

Si vives en un clima que es mayoritariamente caluroso durante todo el año, puedes decorar tu casa con esquemas de colores más fríos, para que el calor se sienta menos abrumador. Lo contrario también es cierto y se practica a menudo.

Los centros turísticos y los hoteles que están cerca de las estaciones de esquí y otras escapadas invernales suelen estar decorados con rojos, marrones y otros colores más intensos y profundos para evocar una sensación de calidez y hombría.

Puede parecer que toda esta información no se

relaciona directamente con el jabón y la forma de fabricarlo. Pero el efecto que el color puede tener en tu visión puede marcar la diferencia en cómo te hará sentir tu creación casera o atraer al cliente si decides vender tus jabones.

Cómo Utilizar Una Rueda De Colores Para Crear Jabones Coloridos

Una forma estupenda de empaquetar una magnífica mezcla de jabón de colores es comprender y utilizar eficazmente los esquemas de colores complementarios, análogos, triádicos, complementarios divididos y rectangulares para generar una sensación de armonía de colores.

Colores Complementarios

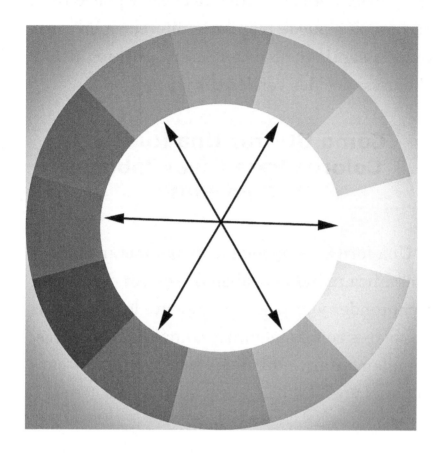

Los colores complementarios se encuentran en los lados opuestos de la rueda de color. Por ejemplo: el rojo y el verde, o el amarillo y el morado. El uso de colores complementarios crea un aspecto vívido y muy energético, especialmente cuando se combinan con la máxima saturación. Cuando se utilizan de forma continuada en un proyecto, estos colores pueden ser un reto debido a su vivacidad. Sin embargo, en pequeñas dosis y en espacios adecuados, los colores complementarios son perfectos para hacer que su jabón destaque.

Colores Análogos

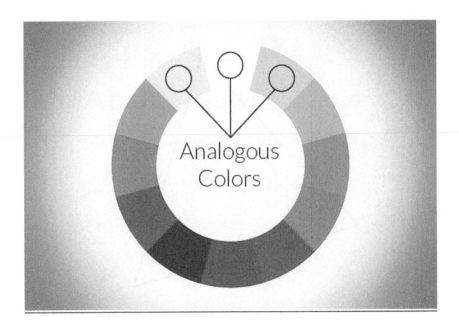

Por otro lado, los colores análogos están justo al lado del otro en la rueda de colores. Las combinaciones de colores que presentan colores análogos suelen ser cohesivas y forman diseños serenos y agradables. Estos colores son armoniosos y suelen ser muy orgánicos, pero también pueden no ofrecer suficiente contraste.

Cuando utilice colores análogos para hacer su jabón, elija un tono que domine el efecto visual y un segundo que lo apoye o complemente.

Colores Triàdicos

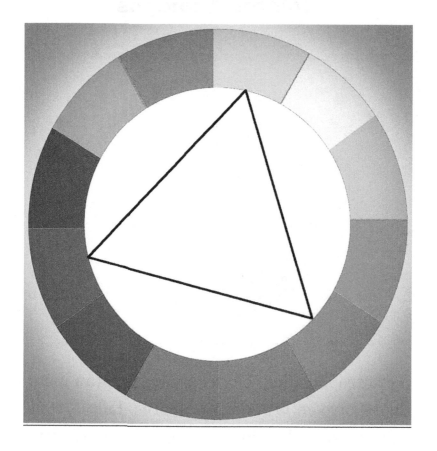

Los colores triádicos se reconocen por su espaciado uniforme en la rueda de color. Las combinaciones de colores que utilizan principalmente colores triádicos son

naturalmente armoniosas y bien equilibradas.
Los colores triádicos se componen de tres colores
individuales que son vibrantes juntos incluso
cuando no están saturados. Al hacer pastillas de
jabón, deje que un color domine el atractivo visual
y que los otros dos creen un acento agradable.

Split-Complementario

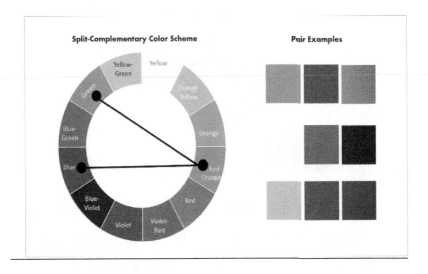

Un esquema de color complementario dividido
es similar a una disposición de color
complementario normal, pero utiliza dos colores
adyacentes para resaltar un pigmento base. Los
complementarios divididos crean un fuerte
contraste con menos tensión que los típicos
colores complementarios, simplemente añadiendo

un tercer color a la mezcla.

Colores Rectangulares O Tétricos

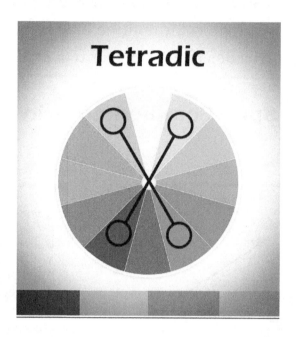

Un esquema de color rectangular o tétrico es
exactamente lo que parece. Este esquema utiliza
cuatro colores utilizando dos combinaciones
complementarias. Los esquemas de color tétricos
son ricos y están llenos de muchas variaciones y
posibilidades que pueden crear diseños
deslumbrantes para sus jabones. Los esquemas
de color rectangulares se utilizan mejor cuando se
permite que un color sea dominante.

Palabras Finales Sobre El Uso De La Rueda De Color

Es una herramienta de referencia rápida que le permite elegir combinaciones de colores. Es exactamente lo que dice que es: una comparación de los colores presentada en un círculo para que puedas ver la relación continua entre todos los colores. Como te he mostrado antes, el rojo, el amarillo y el azul, por ejemplo, son los colores primarios. Se llaman así porque con estos tres colores puedes crear cualquier tono de cualquier color que te guste.

Mezclando porciones iguales de amarillo y azul, por ejemplo, se crea un verde verdadero. La rueda de colores lo ilustra. Cuando observes una rueda de colores, descubrirás que los colores que se encuentran entre el amarillo y el azul te proporcionan matices de lo que ocurre cuando se mezclan esos dos colores.

Supongamos que al hacer un jabón añades dos partes de azul a una de amarillo. Puedes observar fácilmente el color y hacerte una buena idea de cómo será el color final. Deberías obtener un color final que sea azul-verde.

Del mismo modo, si combinas dos partes de amarillo con una parte de azul, el color final será un verde-amarillo. Por supuesto, el mismo razonamiento es válido cuando se mezclan distintos grados de azul y rojo y de amarillo y rojo.

También puedes consultar la rueda de color cuando sólo quieras colocar dos colores en un mismo tema. Una de las formas más seguras de elegir combinaciones de colores atractivas es seleccionar colores que se encuentren en los extremos opuestos de la rueda de colores.

Podrías pensar que eso es lo último que querrías hacer para crear hermosas combinaciones de colores, pero realmente es una forma de hacer una combinación clásica de color

Capítulo 8: Recetas Para Hacer Jabón

Todas estas recetas requieren el uso de las instrucciones del proceso en frío, como se indica al principio de este capítulo. Simplemente reúna sus ingredientes y siga las instrucciones que se indican al final de la lista de recetas, y tendrá increíbles creaciones de jabón natural y orgánico en su casa, listas para usar

Método Del Proceso En Frío

Jabòn Clásico

2/3 de taza de aceite de coco refinado

2/3 de taza de aceite extra virgen

2/3 de taza de aceite de almendras

¼ de taza de lejía

¾ de taza de agua destilada

Jabon De Savila

15 onzas de aceite de coco refinado

13,5 onzas de aceite de oliva virgen extra

10,5 onzas de manteca de cerdo

2,5 onzas de manteca de karité orgánica

10 onzas de gel de aloe vera y puré de agua

6,5 onzas de lejía

10 onzas de agua destilada

Jabòn De Café

Este jabón es un gran exfoliante

6,5 tazas de aceite de oliva

7/8 tazas de lejía

2,5 tazas de agua destilada

3 cucharaditas de posos de café

20 gotas de aceite esencial de hoja de canela

Una pizca de canela molida

Jabòn De Menta Para Despertar

15 onzas de aceite de oliva

13 onzas de aceite de coco

2,6 onzas de aceite de ricino

16 onzas de agua destilada

6,2 onzas de lejía

0,8 onzas de aceite esencial de menta

0,8 onzas de aceite esencial de romero

0,4 onzas de aceite esencial de salvia

¼ onza de espirulina

1 onza de hojas de menta, secas

Diga Adiòs Al Jabòn Para El Acné

6,08 onzas de agua destilada

2,33 onzas de lejía

6,4 onzas de aceite de coco

6,4 onzas de aceite de oliva

3,2 onzas de aceite de ricino

1 cucharada de polvo de carbón activado

1 onza de aceite esencial de lavanda

Proceso

1. Cubra su espacio de trabajo

2. Póngase el equipo de seguridad de protección

3. Mide el agua, asegúrate de que está lista para la lejía

4. Mide la lejía.

5. Añade lentamente la lejía al agua, removiendo suavemente

6. Cuando el agua se aclare, dejar que repose

1. Coloca todos tus aceites en un frasco aparte. Estos son los aceites; los vas a mezclar con la lejía.

2. Caliéntalos en el microondas durante aproximadamente un minuto. Comprueba la temperatura. Debe ser de aproximadamente 120 grados.

3. Cuando tanto la lejía como los aceites se hayan enfriado a un rango de 105 a 95 grados, vierta el aceite en un recipiente para mezclar y luego añada la lejía lentamente.

4. Remover hasta que esté completamente mezclado. La mayoría de la gente remueve inicialmente a mano durante unos 5 minutos. Después, si lo desea, puede utilizar una batidora de varillas para continuar.

5. Compruebe si el color de la mezcla se aclara. También debería espesar.

6. Sabrá que ha alcanzado la traza cuando la mezcla se asemeje a un pudín de vainilla.

7. Ahora, es el momento de añadir los aceites esenciales y cualquier otro aditivo que pida la receta.

8. Remueve bien para asegurarte de que todos

los ingredientes se combinan.

9. Vierte la mezcla en los moldes, cubriéndolos con papel de plástico.

10. Envolverlo en una toalla (Esto inicia el proceso de saponificación.

11. Dejar reposar esto durante aproximadamente 24 a 48 horas.

12. Después de que el jabón se haya endurecido, dependiendo de los moldes en los que esté, puede cortarlos en barras en cualquier momento.

13. Deja que las barras se curen durante unas cuatro semanas, dándoles la vuelta una vez a la semana

Recetas Para Fundir Y Verter

¿Por qué no derrochar en unos moldes con forma de corazón y regalar a tu familia tu amor durante todo el año?

Tienes Mi Jabòn De Corazon

Jabón en bloque transparente para fundir y verter

Moldes de jabón en forma de corazón

Aceites esenciales de su elección, para la fragancia

Corta el bloque de jabón en cubos. Cuanto más pequeños sean los cubos, mejor, porque los cubos pequeños se derretirán más rápido que los grandes. Poner a hervir el agua en la caldera doble y dejar que hierva un poco antes de añadir los cubos de jabón. Remueve estos cubos suavemente hasta que estén bien derretidos.

Retira la mezcla del fuego y deja que se enfríe antes de añadir los aceites. Vierte la mezcla en los moldes y deja que se endurezca durante unas dos horas. ¡Ahora puedes regalar tu corazón!

Jabon De Rosas Relajante

Base de jabón de suspensión transparente

Flores secas de su elección

Molde de jabón

Aceites esenciales de rosa y lavanda

Zumo de remolacha

Corta el jabón de suspensión en pequeños cubos y fúndelos al baño María. Una vez derretidos, añade los aceites esenciales y retira la mezcla del fuego. Añade ahora el zumo de remolacha. Este es tu colorante.

Presiona los pétalos de las flores en el fondo del molde de jabón antes de verter el jabón en ellos.

Deja que se endurezca durante varias horas. Cuando estés seguro de que el jabón se ha endurecido, puedes sacar el jabón de los moldes.

Metodo De Proceso Caliente

Las siguientes recetas utilizan la técnica del proceso en caliente. Las recetas, en sí mismas, se enumeran primero, y luego las instrucciones para el proceso se enumeran a continuación.

Jabòn De Miel Y Avena

17 oz. (482 g) de aceite de oliva

227 g de aceite de coco

43 g de aceite de almendras dulces o de girasol

28 g de aceite de ricino

10 oz. (283 g) de agua

111 g de lejía

14 g de aceite de tamanu o de semillas de rosa mosqueta

1 cucharada de harina de avena en polvo

1 cucharada de miel mezclada con 1 cucharada de agua

1/4 de cucharadita de aceite esencial de lavanda

Jabon De Despertar

1 taza de jabón rallado

1/8 de taza de aceite de cártamo

1/8 de taza de aceite de coco

1/8 de taza de agua

5 gotas de aceite de menta

½ cucharadita de hojas secas de menta

3 gotas de aceite de romero

Lejía

A continuación, encontrarás las instrucciones generales para hacer jabón de proceso en caliente. También he incluido el enlace a un tutorial de YouTube, para que puedas ver cómo se hace en caso de que seas un estudiante más visual. El vídeo es una receta que no se encuentra aquí, pero tendrás una buena idea de lo que debes hacer y cuándo.

https://www.youtube.com/watch?v=scokYOkLcQo

1. Llene el recipiente resistente al calor con agua f medida en peso.

2. Colócalo en el fregadero.

3. Pesar la lejía en un recipiente aparte.

4. Vierte la lejía en el agua. Remueve hasta que esté totalmente disuelta. La lejía se calentará y desprenderá vapores.

5. Deja esto a un lado mientras preparas los aceites.

El Proceso

1. Con su balanza digital, el aceite de coco si la receta lo pide. Derrítelo a fuego lento en un zarten pequeño.

2. Ponga a pesar los otros aceites. Vierta esto en su olla de cocción lenta. Añade a esto el aceite de coco derretido.

3. Vierte la lejía en los aceites. Con una batidora de varillas remueve la mezcla. No hagas funcionar la batidora continuamente, asegúrate de pulsar el aparato.

4. Continúe mezclando de esta manera hasta alcanzar la traza.

5. Continúe calentando esto durante aproximadamente una hora.

6. Reúne tus aceites esenciales y colores.

7. Deja que la mezcla de jabón se enfríe unos 15 minutos y luego añade tus colorantes y aromas.

8. Vierte la mezcla en un molde. Deja que se endurezca durante aproximadamente 24 horas.

9. Deje que el jabón se asiente en el molde durante unas 24 horas.

10. Después de ese periodo de tiempo, puedes sacar el jabón del molde, cortarlo en pastillas y ya está listo para ser utilizado.

Capítulo 9: Abrir El Negocio: Crear Una Empresa De Jabones

Si eres como muchos individuos, una vez que haces una barra de jabón o incluso varios lotes puedes intentar vender tu jabón casero.

Eso es exactamente lo que estoy haciendo ahora. He convertido mi curiosidad en un pasatiempo y mi pasatiempo en un negocio. Me enorgullece decir que estoy proporcionando a mi familia un segundo ingreso sustancial y me encanta cada minuto.

Pero antes de que te lances y empieces a acumular jabón casero para asegurarte de que tienes lo suficiente, debes saber lo que implica el funcionamiento de un negocio de jabones.

Si has estado soñando con iniciar tu propio negocio y crees que finalmente has encontrado el adecuado para ti, entonces tienes que asegurarte de empezar con el pie derecho.

Más de una persona se ha enamorado de la fabricación de jabones y ha comenzado su negocio basándose en una falsa suposición. Que va a hacer lo que le gusta todos los días de la semana.

Odio ser el que te diga esto, pero aquí es donde empieza tu llamada de atención.   Iniciar un negocio -incluso uno pequeño- es mucho más que pasarse el día haciendo jabón. Y no sólo eso, hay que prepararse bastante y aprender mucho incluso antes de vender la primera pastilla.

No pretendo desanimarte ni mucho menos, pero sí quiero que te adentres en una empresa como ésta con los ojos abiertos. Tienes que tener una idea de lo que se necesita para tener éxito.

Y, para ser honesto, una vez que descubras estos pasos y te destaques en ellos, podrás abrir casi cualquier tipo de negocio.

La Línea De Salida

Es natural que, mientras te decides, pidas la opinión de familiares y amigos. Es una gran idea porque son una gran caja de resonancia. Pero pedir ideas y ponerlas en práctica son dos cosas distintas. Sé de una amiga mía que decidió que un nicho de mercado era demasiado pequeño para ser rentable, así que fue añadiendo más. Hacía jabones para afecciones específicas de la piel y luego, por razones que sólo ella conoce, empezó a hacer jabones para mascotas.

Lo que no entendió fue el funcionamiento de Internet. Con la exposición en la red, un nicho estrecho, como el de los productos para mascotas, podría ser rentable por sí mismo si lo aprovechaba adecuadamente.

Pero resultó que se dispersó demasiado. No sólo me refiero a su energía para fabricar los distintos tipos de jabón, sino también a los esfuerzos de marketing que los acompañan. A pesar de las muchas personas que le explicaron los errores que estaba cometiendo y los sólidos esfuerzos para solucionar los problemas, no escuchó y, por desgracia, ya no está siguiendo su sueño.

No cometa el mismo error que ella. Empieza despacio. No te preocupes por estar en un solo nicho de mercado. No te preocupes por no vender lo suficiente. Al principio, se trata de establecer un nombre y crear una marca. Por cierto, más adelante en este capítulo hablaremos brevemente de lo que es la "marca" de tu empresa y de cómo hacerla.

Si empiezas despacio, los costes de los suministros no serán tan elevados. No te sentirás abrumado, ni estarás sobrepasado.

¿Tienes Lo Que Se Necesita?

Esta es una pregunta a la que debe responder con sinceridad. ¿Crees que tienes lo que hay que tener para convertirte en empresario? Porque cuando enciendes ese cartel que dice a la gente que estás abierto a los negocios, en eso te conviertes.

No dejes que nadie ni ninguna publicidad exagerada te diga lo contrario. Se necesita, tiempo, dinero y energía para empezar tu propio negocio. Me encanta leer material publicitario que dice "antes de darme cuenta, estaba ganando más dinero...".

Siempre sustituyo las palabras "antes de darme cuenta" por "después de mucho tiempo, energía y dinero invertidos en el proyecto"... No dejes que nadie te diga que las cosas te caen solas. Cuando hagas lo que te gusta, te parecerá mucho menos trabajo, pero requiere tu dedicación.

Puede que te encuentres volviendo a casa del trabajo para hacer más lotes de jabón, creando más etiquetas para tus productos. Prepárate -y estate dispuesta- a renunciar a parte del tiempo libre que pasabas en el sofá viendo Netflix o sentada en la cafetería hablando con tus amigos para trabajar en un negocio viable.

Tienes que entrar en tu nuevo papel, de aficionado a empresario, sabiendo exactamente lo que se espera de ti. ¿Puedes decir honestamente que tienes la visión y la confianza para trabajar en tu negocio?

Éstas son sólo algunas de las características que deberán brillar para que tengas éxito, tanto si piensas mantener tu negocio pequeño como si tienes planes más grandes.

¿Está dispuesto a hacerlo?

Si cree que puede hacer todo eso -y cualquier otra cosa que su negocio le proponga-, entonces está listo para pensar en los detalles, o en la mecánica, de lanzar su propio negocio.

El Nicho De Mercado

Desde el auge de Internet, el mercado "nicho" se ha convertido casi en un cliché. Probablemente sepas que se trata de un segmento especializado de un mercado más amplio, como los productos de jabón para mascotas en el mercado, etiquetados como jabón casero.

Lo que debes preguntarte antes de decidirte por tu mercado es lo siguiente ¿En qué se va a diferenciar mi jabón de todos los demás jabones caseros que se venden hoy en día?

Para tener éxito en su negocio, debe responder a esta pregunta con sinceridad. Tómese su tiempo. No hay necesidad de soltar una respuesta ahora mismo. Sin embargo, antes de comprometerte a lanzar tu negocio, es posible que quieras ir a la web para ver lo que tus "posibles" competidores están haciendo, en qué nichos de mercado están. A continuación, piense seriamente en cómo puede presentar a la comunidad de compradores de jabones algo diferente.

Pero más que eso, investigue más a fondo si puede. Por ejemplo, ¿cuál es la situación del nicho que le interesa? ¿Está el mercado en plena ebullición, en alza y capaz de soportar a otro competidor como tú? O bien, el mercado de este producto está a punto de alcanzar su punto máximo y las tendencias indican que otra cosa puede captar la atención de los clientes.

A medida que investigue, sin duda descubrirá nichos de mercado que no sabía que existían, como los sabores para bodas. Otros nichos lucrativos son los jabones con monogramas o personalizados, los jabones para bebés y los jabones para los preadolescentes.

Ya hemos hablado un poco de los jabones que curan o alivian naturalmente las afecciones de la piel, especialmente el acné. Luego siempre hay jabones novedosos. La realidad es que probablemente hay más nichos de mercado que puedes probar de los que eres consciente ahora mismo. No está de más que al menos los investigues.

Desarrollar Y Probar Sus Nuevos Productos.

Una vez que crea que ha acotado su nicho de mercado, puede centrar su atención en los jabones específicos que va a fabricar. Al mismo tiempo, es posible que desee considerar de dónde obtendrá sus ingredientes. Y también el envasado y el etiquetado.

Una vez que hayas reunido algunos de tus nuevos productos, puedes dirigirte a las ferias de artesanía y a otros lugares en los que sepas que puedes conectar con los clientes. Es el momento de descubrir cómo serán aceptados los productos sin lanzarlos formalmente.

No tenga miedo de las críticas. Escuche lo que a la gente no le guste de cualquier aspecto de su jabón, desde el envase hasta el propio jabón. Aunque no tienes que cambiar nada si te gusta tu producto tal y como es. Pero si ves que recibes una serie de críticas con las mismas sugerencias, plantéate seriamente cómo mejorar.

¿Dónde Consigues Tus Suministros?

Es una pregunta legítima, ya que, como vendedor de jabones, estás a la búsqueda de los ingredientes que menos cuestan. A no ser que vendas 2.000 dólares de jabón a la semana, lo que por cierto supone 104.000 dólares en un año, no tienes que preocuparte de buscar fabricantes.

Sería más prudente quedarse con los pequeños proveedores a granel. La mayoria de los fabricantes querran que hagas pedidos que superen tu capacidad de pago.

A medida que pase más tiempo en ferias de artesanía y rodeado de otros fabricantes de jabón, no dude en preguntarles dónde consiguen los mejores precios (y la mejor calidad) de sus ingredientes. Esto es especialmente importante en lo que respecta a los aceites esenciales y de fragancia. Ellos te orientarán hacia suministros de buena reputación.

Los Moldes Se Encuentran En Una Categoría Propia

Por supuesto, si has estado haciendo jabón durante algún tiempo antes de empezar a trabajar por tu cuenta en el mundo de la fabricación de jabón, tienes moldes. Probablemente tienes muchos moldes. Pero recuerda que ahora estás haciendo jabón para una gran variedad de personas, así que probablemente sea una buena idea revisar los que tienes por su diseño, pero tener en cuenta su antigüedad. No sería prudente comenzar un pedido sólo para que algo le suceda a tus moldes en medio del proceso.

Cuando salgas a buscar moldes, ya sea en línea o en tiendas físicas, es posible que quieras comprar un cortador de moldes. Con las cantidades de jabón que planeas hacer, esta es la única manera de asegurarte de lograr el corte más limpio y uniforme.

Cuando busque el molde perfecto, tendrá en cuenta, por supuesto, la singularidad del diseño. Pero también querrá fijarse en cómo va a aguantar el paso del tiempo. No se olvide de cuando las cosas van bien; dependerá de ellos casi todos los días. En el caso de los moldes para fundir y verter, por ejemplo, está buscando artículos que sean flexibles. Antes de invertir en una gran cantidad de moldes, pruébalos.

Utilícelos tanto como sea posible antes de comprometerse a su uso diario. No anuncie que puede realizar un tipo específico de jabón en un molde concreto hasta que esté totalmente seguro de que puede cumplirlo. Al fin y al cabo, nada menos que la reputación de su empresa va a depender de que sea capaz de cumplir.

Los moldes son realmente la columna vertebral de su negocio. Incluso pueden ayudarle a dar a conocer su negocio. Por eso es tan importante que se tome su tiempo y dinero para invertir en los mejores. Por supuesto, artísticamente, quiere que sean una expresión de su empresa. Por tanto, querrá comprarlos con eso en mente. ¿Ilustran a primera vista lo que representa su empresa?

Pero por encima de eso, tiene que poder confiar en ellos. Piense en el lugar que ocupan en el proceso de producción. ¿Cuántos jabones cree que puede verter en una sola sesión? Si utiliza el método de fundición y vertido, visualice que tiene suficientes moldes para poder alinearlos en mesas con la capacidad de verter de 50 a 100 moldes a la vez.

Si, por el contrario, utiliza el procedimiento en frío, debe pensar seriamente en invertir su dinero en un par de moldes para pan (no escatime en calidad en este punto) que tengan cortadores ya incorporados. Esto le permite hacer 14 libras de jabón o más a la vez.

En el negocio de la fabricación de jabón, lo creas o no, la decisión de en qué moldes invertir puede hacerte ganar o perder. Mucha gente tiende a decir que el tiempo es dinero. En lo que respecta a los fabricantes de jabón, los moldes son dinero. Pueden ralentizarle y obstruir el proceso o transformar su operación en una "fábrica" eficiente y fluida, por así decirlo.

Los principiantes en el negocio suelen preguntar cómo se envasan los productos. Esto depende en parte del tipo de proceso de fabricación de jabón que piense utilizar. Si va a vender jabones para fundir y verter, tendrá que empaquetarlos, de modo que el producto esté bien envuelto con una envoltura de plástico o una envoltura retráctil. Esto evita que el jabón acumule humedad, o lo que la mayoría de los fabricantes de jabón llaman transpiración. Si piensas utilizar el método de elaboración en frío, estos jabones están en su mejor momento cuando puedes venderlos "desnudos". Eso significa que están envueltos en tela o papel y en caja.

No se preocupe demasiado por encontrar fuentes de suministro de estos materiales de embalaje; se pueden encontrar prácticamente en todas partes, una vez que empiece a buscarlos. Esto incluye también las cajas. No compre más de lo que crea que va a utilizar en sus primeros meses de actividad. Si nunca ha hecho nada de esto antes y cree que va a tener un gran éxito, compruebe los programas de software con respecto al seguimiento del inventario.

Si se le acaban los suministros de embalaje antes de lo previsto, siempre puede volver a hacer un pedido. De este modo, se asegurará de que sus envases tengan el mejor aspecto posible.

Aquí hay algunas tiendas de suministros para la fabricación de jabón en línea que puede consultar. Por favor, comprenda que no tengo ninguna afiliación con ninguno de estos negocios, así que esto es sólo para su investigación. También puede encontrar una o dos tiendas locales que ofrezcan mejores precios. Personalmente, prefiero comprar en la localidad, ya que de esta manera se puede ver, sentir y tocar los productos y realmente llegar a ver los productos antes de comprar.

https://www.bulkapothecary.com/categories/soap-making-supplies.html

https://www.brambleberry.com/

http://www.wholesalesuppliesplus.com/soap-making-supplies.aspx

https://botaniesoap.com/soapmaking-supplies.html

Fijar El Precio De Sus Productos

Se trata de un ámbito de la fabricación de

jabones que demasiados principiantes no comprenden del todo. A esta carga se añade el hecho de que muchos nuevos empresarios tienen miedo de poner un precio a su producto lo suficientemente alto como para poder obtener un beneficio.

Fijar el precio de los productos es diferente a aceptar unos cuantos dólares de tus amigos o familiares por tus jabones. En este caso, hay que ser lo suficientemente valiente para decir que este es el dinero que he invertido en el jabón y que para obtener beneficios tengo que cobrar esta cantidad.

Hacer jabón a mano como lo estás haciendo, después de todo, es un negocio que requiere mucho trabajo. Asegúrese de tener esto en cuenta. Como es realmente vital para tu éxito como emprendedor, voy a dedicar un poco de tiempo a darte un manual sobre cómo hacerlo. Una vez que empieces tu negocio, querrás profundizar en esto, pero por ahora, te harás una idea. También estarás preparado para no venderte a ti mismo.

Tienes que saber desde el principio que no hay ninguna ventaja en ser el jabón "más barato" del mercado. Aunque puede ganar algunos clientes, muchos dirán que hay algo intrínsecamente inferior en el producto si se vende tan barato.

Por otro lado, hay que saber que existe un límite máximo de lo que muchos pagarán por los jabones, especialmente si van a utilizarlos a diario. Hace poco estuve de vacaciones y vi una pastilla de jabón hecha con leche de cabra que costaba el doble que cualquier otra pastilla de la tienda. Buscaba una experiencia de baño única, así que la compré.

No estoy segura de si lo compré a pesar del precio o a causa de él. Mi primer pensamiento fue que era caro. Mi segundo pensamiento fue que probablemente lo valía. Y créanme, valió cada centavo que gasté en él.

Y mientras calculas el precio de tu jabón, no olvides calcular también el coste de tu tiempo en él.

Venta Al Por Mayor De Su Jabón

Llegará el día en que su negocio de fabricación de jabones tenga éxito y quiera vender sus jabones a las tiendas a un precio mayorista.

Lo creas o no, querrás vender tus jabones al por mayor a la mitad del precio de venta al público. Así es. Esto lo aprendí hace años cuando trabajé para una pequeña empresa que vendía suplementos dietéticos por correo. Escribía textos de marketing directo para ellos, pero estaba al tanto de todo el proceso de venta por correo. Sí, era la época anterior a Internet.

Por ejemplo, vendo mi jabón en ferias de artesanía en su mayor parte a 6 dólares la pastilla, mientras que vendo el mismo producto a boutiques y otras jabonerías por 3 dólares la pastilla. Además, puedo hacer una oferta especial. Si se compran de una a tres pastillas, se pagan 6 dólares por pastilla, pero si se compran cuatro, sólo hay que pagar 20 dólares por ellas. Te sorprendería saber cuánta gente se lanzará a esa venta. Y como sigo ganando dinero, no puedo quejarme.

Permítanme mostrarles cómo marco mis productos. Nada de esto está escrito en piedra, pero espero que te dé una nueva perspectiva sobre esta parte del negocio, y una visión realista de lo que hay que hacer. Aquí está una lista de lo que calculo para determinar el precio de una pastilla de jabón.

Costo De Los Productos

Esto incluye todos mis ingredientes de los aceites esenciales, la fusión y verter la base, los aceites vegetales cualquier aditivo en el lote y el embalaje. Si usted tuvo que pagar los gastos de envío para cualquiera de estos artículos, entonces, por todos los medios, incluir que en aquí también.

Trabajo

Asegúrese de hacerlo, incluso si no está pagando a un empleado. Su tiempo también vale dinero.

Sobrecarga

Muchos fabricantes de jabón también añaden el coste de sus gastos generales. Los costes de elementos como el alquiler, el equipo, el seguro y la electricidad... ya se ha hecho una idea.

La sencilla ecuación que se muestra a continuación ilustra claramente cómo decidir lo que se debe cobrar por el jabón. La primera ecuación te da el precio de venta al por mayor y la segunda lo que deberías cobrar por la venta al por menor. He rellenado las ecuaciones genéricas con el coste de una de mis pastillas de jabón. Las cifras que pongas en la ecuación reflejarán tus costes específicos de fabricación de jabón.

Coste de la mercancía + envío + mano de obra + gastos generales x 2 = Precio de venta al por mayor

Mi coste de la mercancía para una pastilla media es de 0,70 $.

El coste de envío lo he calculado en 0,10 dólares por pastilla.

Los costes de mano de obra los he calculado en unos 0,50 dólares por barra.

Luego incluyo los gastos generales, que son aproximadamente 0,15 $.

Después de obtener el total, lo multiplico por 2.

Así es como queda la ecuación cuando se completan todas las variables.

0,70 $ por barra Coste de la mercancía + 0,10 $ de envío + 0,50 $ de mano de obra por barra + 0,15 $ de gastos generales x 2 = 2,90 $ por barra. Así que al por mayor por 3,00 $/barra.

Ya he mencionado que luego tomo el precio al por mayor y lo duplico para determinar mi precio al por menor.

Precio al por mayor x 2 = Precio al por menor

Por supuesto, 3 x 2 es igual a 6 dólares.

Hacer Que Sea Rentable

Puedes ver que puedes ganar dinero si eres

honesto con tus costes y estás dispuesto a asumir lo que vales cuando vendes tu jabón al por mayor. Pero cuando vendes tu propio jabón a precio de venta al público, puedes empezar a ganar más dinero.

En este punto de la planificación es crucial que des un paso atrás para ver el panorama general.

Analice bien el mercado concreto en el que piensa introducirse. Estudie los precios de sus competidores. A continuación, determine lo que los niveles superiores del mercado pagarán por barra. Asegúrese de que no está poniendo un precio excesivo.

Una vez que esté satisfecho con el precio, vuelva a consultar a sus competidores. Esta vez querrá comprobar sus ofertas de venta para saber qué les falta, si es que les falta algo. Tal vez sea un hueco que puedas llenar y aprovechar su descuido.

¿Está pensando en dirigirse al extremo superior de su mercado? Si es así, debe tener un buen argumento persuasivo de por qué su jabón merece la pena. Es posible que tenga que defender sus precios tanto ante los distribuidores mayoristas como ante sus clientes minoristas.

Lo único que tiene que hacer es señalar las muchas ventajas de su jabón, sus ingredientes especiales. Otra forma de hacerlo es haciendo que el envase sea visualmente convincente.

¿Qué Hay En Un Nombre?

Hoy en día, con la introducción de Internet, los nombres dependen en gran medida de la empresa. Por supuesto, el nombre de un negocio debe hacerse siempre con cuidado. Si bien quieres que sea un nombre memorable, no quieres que sea tan exagerado que los clientes potenciales no tengan ni idea de lo que vendes. Y, por supuesto, lo más importante es que te guste.

Una vez que creas que has encontrado el nombre de tu negocio, tendrás que comprobar los sitios web de marcas para asegurarte de que el nombre no ha sido tomado ya. Uno de los lugares en los que buscarás en la Oficina de Patentes y Marcas de Estados Unidos. No querrás encontrarte en una batalla legal por tu nombre durante meses o incluso años. No sólo puede resultar caro, sino que además no querrá perder toda la buena voluntad que ha desarrollado con su antiguo nombre. Es mejor prevenir que lamentar.

Una vez que sepas con certeza que puedes utilizar el nombre que has elegido, tendrás que averiguar si está disponible como nombre de dominio en Internet. Si no puedes conseguir ese nombre exactamente, prueba con variaciones del mismo. Querrás algo que refleje tu negocio, para que sea más fácil que tus clientes te encuentren.

El nombre de tu empresa debe ser un reflejo directo de lo que vendes. No te preocupes por que deba contener la palabra jabón. En algún momento, le añadirás un eslogan o un lema. Es entonces cuando puedes asegurarte de añadir la palabra jabón para aclararlo.

Encontrar Tus Ventas

Esta es probablemente una de las preguntas que más me hacen: ¿Dónde vendo mi jabón?

Es una pregunta legítima y perspicaz para cualquiera que quiera crear un negocio de jabones de buen tamaño. Por supuesto, al principio, los clientes más fáciles serán tu familia y tus amigos. Pero, por supuesto, todos sabemos que usted tiene más ambiciones que limitarse a estar satisfecho allí.

Cuando empieces, puede que descubras que tendrás que dar lo que parece una cantidad desmesurada de forma gratuita. Cuando hice esto, mi familia pensó que estaba loco, pero ha sido y será siempre el mejor método para conseguir que la gente pruebe tu producto; no hay absolutamente nada malo en ello.

Al fin y al cabo, estás seguro de que son excelentes y también de que conseguirás más ventas si consigues que la gente lo pruebe. Piensa en organizar una jornada de puertas abiertas a la que invitarás a amigos, familiares y vecinos para animarles a probar mis productos. Les dije que quería su sinceridad. Si algo no les gustaba, debían hacérmelo saber y si tenían una idea de cómo corregirlo. Las grandes empresas llaman a reuniones como esta "grupos de discusión". Piensa en estas reuniones de esta manera.

La jornada de puertas abiertas fue un éxito. Recibí un gran retroalimentaciòn y no sólo eso, tuve la oportunidad de perfeccionar algunas recetas incluso antes de hacerlas públicas. Después de que probaran mis jabones, me aseguré de tener preguntas específicas, no sólo generales, como "¿Qué te ha parecido?". Quieres saber las opiniones sobre cosas como si el jabón es hidratante, si duran lo suficiente o se disuelven demasiado rápido, si las fragancias son agradables. ¿Demasiado fuerte o no lo suficientemente fuerte?

Hay varios canales de venta para vender tus jabones. Si estás empezando, comienza con tu familia y amigos. Cuando empecé, regalé muchos jabones. Celebré una jornada de puertas abiertas en primavera e invité a mis amigos y vecinos a probar mis productos. Quería una opinión clara y sincera sobre mis recetas. ¿Los jabones eran hidratantes? ¿Eran duraderos? ¿Les gustaban las fragancias? ¿Qué no les gustó y qué recomendarían?

¿Dónde Se Encuentran Los Puntos De Venta Al Por Menor?

Cuando piense en la venta al por menor, piense en algo diferente. Seguro que lo primero que se le ocurre son las ferias de artesanía y las reuniones de intercambio. Pero no se limite a estos lugares. Piense en los mercados de agricultores. Muchas personas que los frecuentan se preocupan por los productos ecológicos y naturales. Sería una combinación natural. Incluso puedes hacer una fiesta ocasional en casa. Y, por supuesto, siempre puede tener presencia en Internet. No olvide vender al por mayor en Internet. Muchos fabricantes de jabón, pasan por alto los locales de hospitales y empresas.

Piensa en esto. Si decides probar a hacer jabones diseñados para los sabores de las bodas, podrías incluso conseguir una mesa en una feria nupcial. Además de tomar pedidos, puedes repartir muestras y tener algunas listas para la venta al por menor allí mismo.

Recuerda que si vas a vender al por menor tú misma, entonces necesitas tener expositores atractivos, tarjetas de visita y folletos informativos. También sería útil que en esos folletos indicaras los tipos de jabones que tienes disponibles y los precios. Por supuesto, asegúrese de que estos folletos tengan su nombre, dirección de correo electrónico, sitio web y un número de teléfono.

Nunca ha sido tan fácil, como pequeño comerciante, aceptar tarjetas de crédito. La posibilidad de hacerlo impulsará sin duda sus ventas. En el pasado, era mucho más difícil incluso conseguir que un procesador de tarjetas de crédito tratara con usted.

Ahora, con los smartphones, puede hacerlo todo electrónicamente. Y si tienes una cuenta de empresa con PayPal, puedes hacerlo por relativamente pocos centavos de dólar. No se trata de un paso pequeño, así que investigue a fondo antes de comprometerse con un proveedor concreto.

Venta Al Por Mayor

Cuando decidas vender productos a los

mayoristas y cobrar a ese precio, te encontrarás en un mundo totalmente diferente. Pero antes de hacerlo, es imprescindible que investigues. Y eso empieza con un trabajo de campo a la antigua usanza. Visita los lugares donde te gustaría vender tu jabón. Básicamente, estudia la tienda para ver si tus productos encajan bien. Incluso si no venden jabón, ¿qué tipo de artículos venden? ¿Hay artículos más pequeños que puedan complementar tu jabón?

Una vez que tengas una idea de dónde te gustaría colocar tus artículos, no lo investigues hasta que aprendas un poco sobre el mayorista. Aprende cómo fijan los precios y sus condiciones. La web es un buen lugar para empezar, pero no pases por alto ningún libro que pueda ser potencialmente útil. Una vez que estés seguro de que sabes lo suficiente como para hablar con el gerente o el propietario, puedes recurrir a él.

Lo mejor sería imponer un pedido mínimo al por mayor. Sería una tontería y una pérdida de tiempo y energía si sólo vendieras tres barras al por mayor a un establecimiento. El mínimo debería ser el número de barras que haces en un molde o incluso en un lote. De este modo, estarás haciendo un lote entero para un mayorista que sólo quiere tres.

Otra razón para hacer esto es para que los clientes del mayorista vean una buena exposición de su mercancía. Cuando un mayorista compra sólo unos pocos, es mucho más probable que sus clientes no se fijen en ellos. Si le hace comprar suficientes en torno a los cuales pueda construir un expositor atractivo, entonces atraerá a los clientes potenciales como un imán.

Cuando cree sus volantes o folletos para mayoristas, asegúrese de incluir algunas fotos de calidad de sus productos junto con los precios. Este es también un lugar excelente para mencionar el pedido mínimo de cada producto.

Muchos empresarios novatos en la fabricación de jabones suelen equiparar los términos "venta al por mayor" y "consignación". Son formas muy diferentes de vender sus productos. Como vemos, en la venta al por mayor, el propietario de la tienda compra tus productos por un precio fijo. Y te paga tanto si los vende como si no. Y él, a su vez, puede fijar sus propios precios.

En una situación de consignación, te diriges al propietario de la tienda y le proporcionas tu producto. Tú fijas el precio y él, sin arriesgar nada de su dinero, los vende. Sólo se le paga por los que se venden. Esa es una vía que se puede seguir, pero no se suele recomendar por diversas razones, entre las que destaca la debilidad de las ventas. Hay muchas probabilidades de que te quedes con artículos que no se vendieron, que ya están demasiado manipulados y que muestran su desgaste. No hay mucho que hacer con estos artículos.

El Plan De Negocios

Cronológicamente, este tema está fuera de secuencia. Pero no pasa nada. Antes de elaborar un plan de negocio eficaz, tienes que saber qué implica el lanzamiento de tu empresa. Una vez que sepas lo que implica, podrás estimar de forma inteligente los plazos y los costes. Sí, todo esto debe hacerse, idealmente antes de empezar a vender más allá de tu familia y amigos.

Un plan de negocio coherente es esencial para el éxito de cualquier empresa. No es algo que puedas hacer fácilmente si nunca has escrito uno antes. Te sugiero, si es posible, que busques un mentor que te ayude con esto. Si tienes algún amigo cuya experiencia puedas aprovechar, te sugiero que lo hagas cuanto antes.

Si no conoces a nadie en quien puedas confiar, te sugiero que te dirijas a la Asociación de Pequeñas Empresas. Lo bueno de esto es que la organización, que forma parte del gobierno federal, no te cobra.

Otro camino que puedes tomar para familiarizarte con los planes de escritura sería encontrar una clase que lo enseñe. En mi región, la biblioteca local imparte una clase gratuita. Empieza por ahí. Si no tienen una, pueden decirte dónde puedes encontrar una. Si no encuentras clases en ningún otro sitio, prueba con la universidad o el instituto local. Esto puede costarte, pero a la larga te parecerá más una inversión.

Una vez que lo hayas completado, no lo sigas a

ciegas. Considéralo un documento vivo. Una vez cada tres meses, debes revisarlo. Comprueba tu progreso con respecto a lo que dijiste que harías. ¿Hay algún elemento que querías asegurarte de incluir y que de alguna manera se te ha olvidado o se te ha escapado?

Sé flexible. Tal vez haya algo que deba ajustarse. No te lamentes por ello ni te critiques. Ajústalo y sigue adelante.

Abierto Al Pùblico, Pero ¿Dónde?

Hay una cosa en la que muchos empresarios noveles no piensan lo suficiente. Ahora están en el mundo de los negocios. Y eso significa que merecen un espacio de trabajo independiente para dirigir su negocio. Necesitarán un espacio que llamen suyo. Lo último que necesitas es que tu perro rompa las facturas, que se derrame leche con chocolate sobre los documentos legales o que haya manchas de tocineta en tus folletos. Hay dos maneras de hacerlo. La primera es encontrar un espacio de oficina barato para estar libre de distracciones cuando te ocupes de la parte comercial de tu negocio.

Incluso si vendes tus productos al por menor, es posible que quieras esperar un año más o menos antes de abrir tu propio local alquilado.

Aunque muchas personas que se dedican a la fabricación de jabones lo hacen, yo no lo haría, al menos al principio. No es una vergüenza trabajar en tu casa, pero crea un espacio apto para el jabón que esté fuera de los límites de las invasiones no esenciales. Es posible que tengas una habitación libre a la que puedas recurrir para ello o incluso un sótano terminado. Examina tu casa y haz clic en los pros y los contras de los distintos espacios que te parezcan buenos. Lo que realmente quieres es que tu espacio sea lo más tranquilo y de aspecto profesional posible.

Piensa en lo que requerirá tu espacio de trabajo. Ya sabes que para hacer una pequeña cantidad de jabón necesitarás espacio para la mesa y para el equipo de fabricación de jabón, probablemente en forma de estanterías o armarios. No olvides que también necesitarás suficientes rejillas para la panadería.

Otra cosa en la que quizá no hayas pensado es

que, a medida que hagas más jabón, probablemente necesitarás un equipo que pueda acomodar lotes más grandes. Antes de elegir una habitación de tu casa, asegúrate de que te da el espacio que vas a necesitar.

Etiquetas Y Más

¿Ya está cansado de toda la información de este capítulo? ¿Está pensando en poner una etiqueta y dar por concluido el proceso? Espere, lo último que quiere hacer es dar por sentado su etiquetado. Es una parte importante de la apariencia general de su empresa. Ignorar el etiquetado adecuado es también un camino seguro para meterse en problemas con la Administración de Alimentos y Medicamentos.

Abordemos el tema del etiquetado con cuidado. En primer lugar, nada dice que ahora que tienes tu propio negocio tengas que subcontratar la creación de tus etiquetas. Muchos empresarios siguen fabricando sus propias etiquetas de jabón. Sus clientes aprecian la idea de que sus jabones sean caseros. Una etiqueta hecha en casa no hace más que fomentar esos pensamientos.

Por supuesto, puede llegar el momento en que necesite que una gran empresa de etiquetas las cree porque usted estará ocupado haciendo otras tareas vitales para la salud de la empresa. Pero hacer tus propias etiquetas tiene verdaderas ventajas.

En primer lugar, la realización de cambios en las etiquetas no es más que un bache en el camino y no retrasará tu producción. Además, los costes iniciales de los cambios en las etiquetas son mínimos cuando los hace uno mismo.

Esto contrasta con las empresas de etiquetado, que no suelen aceptar un pedido que no incluya al menos 500 etiquetas. Cuando se está empezando, es difícil para la mayoría de los empresarios jaboneros siquiera imaginar 500 etiquetas, y mucho menos necesitar esa cantidad para su inventario. Y eso, por cierto, son 500 por artículo separado, no 500 en total.

Así, si tienes un jabón de lavanda, necesitarías comprar 500 de esas etiquetas y otras 400 para tu jabón de hierba limón. Estamos hablando de muchas etiquetas.

Si estás contento con el lugar donde compras tus etiquetas en blanco, puede que quieras quedarte con ellos. Pero también es posible que quieras volver a buscar etiquetas en Google para descubrir qué formas, tamaños y colores tienen otras empresas que puedas utilizar para aumentar el atractivo de tu producto.

También puede considerar la posibilidad de adquirir una impresora láser. Si actualmente utilizas una de inyección de tinta, probablemente sepas que cuando la impresión se moja, se corre. Esto no ocurre con las impresoras láser. Además, las imágenes que imprimen estas máquinas son más nítidas y claras que las de inyección de tinta.

He aquí otra ventaja del láser. Los cartuchos de tóner duran más que los de la inyección de tinta. Sí, es cierto que el cartucho láser cuesta más, pero no lo vas a cambiar tan a menudo como con una de inyección de tinta.

Aquí hay algunos negocios de fabricación de etiquetas en línea que puedes probar.

https://www.onlinelabels.com/soap-labels.htm

https://www.worldlabel.com/Pages/soap.htm

Aquí tienes un vídeo de YouTube sobre cómo hacer etiquetas de jabón.

https://www.youtube.com/watch?v=OKYF6o0WYA A

Normas Y Requisitos De Etiquetado Del Jabón De La Fda

¿Qué tienen que ver sus etiquetas con la FDA? Bastante.

Cuando etiquete sus productos con la intención de venderlos, debe tener presente a la FDA. Esta organización gubernamental tiene una gran cantidad de reglamentos, muchos de los cuales se refieren a lo que puede y no puede afirmar sobre sus productos y cómo pueden aliviar el estrés o reducir los síntomas del acné.

Cuando empieces a etiquetar tus productos para su venta al público, deberás seguir todos los requisitos. En primer lugar, éstos tienen en cuenta las declaraciones esenciales que la FDA quiere ver: cantidad en el envase según su peso.

La FDA también espera ver una declaración de identidad. Se trata de una explicación de la naturaleza del uso del producto, un nombre común, junto con una ilustración o un segundo nombre más descriptivo del producto.

Por último, puede tener la tentación de hacer lo que la FDA llama "declaraciones médicas". No lo haga. No puede hacer afirmaciones médicas a menos que los ingredientes hayan superado los requisitos de la FDA. Por ejemplo, no puede decir que su jabón de lavanda "cura" el acné. En el momento en que haces eso tu jabón, a ojos de la administración se convierte en un producto farmacéutico. Cuando esto sucede, entonces debe pasar los requisitos mínimos de todos los medicamentos. Y la lavanda no puede.

Si te fijas, en algunos productos, todo lo que se acerca a una afirmación está resaltado con un asterisco, y se deja claro que la afirmación no ha sido revisada ni avalada por la FDA. Por ahora, es mejor no ir allí.

Si finalmente lo hace, lo mejor es que busque abogados especializados en reclamaciones de la

FDA. Sí, los hay. Ellos le guiarán sobre lo que puede decir sin infringir la normativa de la FDA.

A la hora de etiquetar, es esencial emplear los requisitos de la etiqueta de la FDA. Legalmente debe enumerar el número de contenidos, en términos de peso. Hay que utilizar una declaración de identidad que indique la naturaleza y el uso del producto, un nombre común, una ilustración o un nombre descriptivo. Es importante no hacer afirmaciones médicas o prometedoras en sus etiquetas.

Esta es la información básica que la FDA exige para el etiquetado de cada producto: El nombre y la ubicación de la empresa, o la información de que fue "fabricado para... nombre de la empresa", así como una lista de todos los ingredientes y, si es necesario, cualquier advertencia o declaración de precaución que el cliente necesite saber.

Y Ahora Es El Momento De Hablar De Marketing Y Ventas

Puede que no quiera oír esto mientras remueve su jabón, pero el marketing y las ventas son las líneas de vida del éxito de su negocio. Le sorprendería saber la cantidad de fabricantes de jabón que gimen cuando alguien empieza a hablar de marketing. Parece que el marketing debería ser simple, sencillo y de sentido común. Pero cuando los mercadólogos empiezan a hablar, parece que se convierte en otro idioma; tienden a convertir cada palabra en una ciencia compleja.

Antes de avanzar demasiado en sus esfuerzos de marketing y ventas, querrá tener tarjetas de visita. Pronto las repartirás a muchos tipos de personas. Estos documentos por sí solos son un gran tipo de marketing. Querrá subcontratarlos aunque pueda hacerlos en casa. Hay algo en las tarjetas de visita profesionales que le dicen a alguien que... bueno, que vas en serio. También muestra a la gente que eres un profesional.

A algunas personas les intimida crear un sitio web. Sin embargo, no hay forma de evitarlo: vas a necesitar uno. Cuanto antes lo hagas, mejor y más establecido estarás en Internet. Aunque falte un año o más para el lanzamiento de tu negocio, no pienses que es demasiado pronto para hacerte con un nombre de dominio y empezar a diseñar tu sitio. Al fin y al cabo, será la cara de tu negocio que verá literalmente todo el mundo. (No hay presión)

Si no crees que puedas diseñar una sola, no hay que avergonzarse de contratar a un diseñador web a un precio que se ajuste a tu presupuesto. Dale al diseñador mucho tiempo para que pueda hacer su mejor trabajo posible. Querrás tener un sitio web que incluya un carrito de la compra, así como la posibilidad de aceptar tarjetas de crédito.

Antes de eso, sin embargo, puedes atender tu negocio uniéndote a Twitter y empezando a tuitear con el nombre de tu empresa. También querrá abrir una cuenta de Facebook para su negocio. Y no te olvides de escribir un blog. Escribir un blog es algo que puedes hacer ahora mismo para hablar a la gente en términos generales sobre la fabricación de jabones y los peligros de los jabones comerciales.

Antes del lanzamiento inicial de su negocio, considere la posibilidad de asistir a eventos de redes de negocios en su área. Este es un gran lugar para socializar, y puedes obtener una ayuda inestimable o incluso encontrar un mentor en eventos como estos.

No tenga miedo de socializar y establecer contactos con aquellas personas que estén dentro de sus intereses empresariales.

Interésese por conocer a otros fabricantes de jabón. Son las llamadas asociaciones del sector. Es refrescante y, de hecho, saludable reunirse con otros individuos que han estado haciendo exactamente lo mismo que tú. Te sorprenderá la poca competencia que hay entre todos una vez que se reúnen así.

De hecho, es posible que se sorprenda de la cantidad de referencias sólidas de clientes que recibirá de otros fabricantes de jabón. Si sus clientes buscan un producto concreto que ellos no tienen, suelen estar encantados de buscar a alguien que pueda satisfacer sus pedidos. Téngalo en cuenta y devuelva el favor cuando tenga un cliente que necesite un producto que usted no tiene.

No olvide crear una lista de correos electrónicos de clientes. Utilizarás esta lista cuando anuncies ventas o cuando envíes boletines mensuales o trimestrales.

De hecho, en el momento en que creas que vas a poner en marcha tu negocio, puedes reunir una lista de amigos y familiares que hayan utilizado tus jabones para anunciar tu decisión. A medida que vayas ganando clientes, puedes añadirlos a tu lista.

Conclusión

No sabes cuánto me ha gustado compartir mi amor por la fabricación de jabones contigo. Mi objetivo, al escribir este libro, era introducirte en este mundo. Es un pasatiempo mucho más amplio y fascinante de lo que muchos te hacen creer.

Hay un sinfín de razones por las que la gente adopta este pasatiempo. Creo que he cubierto la mayoría de ellas, incluyendo la salud de su familia, los costes o para hacer regalos. Esencialmente, sólo hay una razón por la que permanecen con ello durante tanto tiempo. Disfrutan haciéndolo.

Algunos no sólo disfrutan, sino que desarrollan un amor, incluso una pasión por esta actividad, como es mi caso. Llevé mi pasión un paso más allá de un pasatiempo, y construí un pequeño negocio de éxito. Los beneficios que obtengo con la fabricación de jabón proporcionan a mi familia un buen segundo ingreso, además de mantenerlos abastecidos con sus jabones favoritos.

Otras personas han llevado su pasión por la

fabricación de jabón un paso más allá de la mía y han creado lo que sólo puede llamarse imperios del jabón casero. Los beneficios que les reportan sus negocios son fenomenales. No pongamos el carro delante de los bueyes, aunque sí te da algo en lo que pensar mientras aprendes los entresijos del pasatiempo.

Emprender un negocio, cualquier negocio, no es un paso que deba darse a la ligera. Ya hay más de 300.000 negocios de fabricación de jabón en Estados Unidos. Hay tiempo para decidir si quieres convertirlo en una carrera sobre la marcha.

Ahora mismo, tengo la sensación de que tus dos próximas decisiones van a ser: ¿qué método voy a utilizar y qué tipo de jabón quiero hacer?

Ahora te dejo con tu nuevo pasatiempo. No tengas miedo de explorar todas las facetas de esta gran actividad que quieras. Ahora sólo tengo dos consejos para ti. El primero es que te tomes el pasatiempo paso a paso. Disfrutarás del viaje.

Y el segundo es que recuerdes que tus opciones son tan pequeñas o tan grandes como tu imaginación.

Por último, si quieres probar a hacer una gran variedad de jabones, busca mi libro de recetas "Libro de cocina para la elaboración de jabones naturales - 150 recetas únicas para hacer jabones".

¡Deja volar tu imaginación!

Apéndice I: Tabla De Saponificación

Tabla De Saponificación (Hidróxido De Potasio, KOH)

A pesar de lo que se pueda pensar al verlo por primera vez, esta tabla es sencilla de utilizar. Lo único que hay que hacer es multiplicar el peso de cada aceite por el valor de ese aceite en la tabla. De este modo se obtiene la cantidad de lejía que se necesita para saponificar ese aceite.

Si trabajas con una combinación de aceites, tendrás que calcular cada aceite por separado. Luego puedes sumarlos. De este modo, obtendrás la cifra global de la combinación.

Almendra (dulce): 0.1925	Onagra: 0.1918	Neem: 0.1932	Manteca de Karité: 0.1825
Albaricoque en grano: 0.1941	Linaza: 0.1913	Aceite de Semillas de Níger: 0.1890	Sebo de oveja: 0.1949
Aguacate: 0.1886	Sebo de cabra: 0.1946	Aceite de oliva: 0.1906	Soja: 0.1914
Babasù: 0.2463	Grasa de oca: 0.1900	Mantequilla de oliva: 0.1880	Girasol: 0.1903
Sebo vacuno: 0.1999	Semilla de uva: 0.1861	Palma de Aceite: 0.2503	Grasa de venado: 0.1946
Aceite de borraja: 0.1886	Avellana: 0.1928	Palma: 0.2000	Nuez: 0.1900
Ricino: 0.1811	Semilla de cáñamo: 0.1914	Cacahuete: 0.1925	Germen de trigo: 0.185
Grasa de pollo: 0.1910	Jojoba: 0.0979	Aceitee de semilla de Amapola: 0.1960	
Mantequilla de cacao: 0.1941	Nuez de Kuku: 0.1903	Sebo de cerdo: 0.1946	
Coco (refinado): 0.2690	Manteca de cerdo: 0.1970	Semilla de calabaza: 0.1956	
Maiz (Maize): 0.1927	Linaza: 0.1913	Semilla de colza (Canola): 0.1870	
	Nuez de Macadamia: 0.1959		
	Aceite de		

Semilla de algodòn: 0.1954 Sebo de ciervo: 0.1946 Aceite de emù: 0.1939	visòn: 0.1976 Aceite de semilla de mostaza: 0.1720	Salvado de arroz: 0.1808 Cártamo: 0.1928 Semillas de sésamo: 0.1882	8 Ceras. .. Cera de abejas : 0.0970 Cera de carnauba: 0.087 Lanolina: 0.1054

Apéndice 2: Glosario

Abrasivos: Sustancias añadidas al jabón, normalmente de textura arenosa o áspera, que ayudan a eliminar la suciedad y la piel muerta de las células externas de la piel. También puede oírse hablar de exfoliantes. Las personas con piel delicada o seca deben evitar los jabones con abrasivos o exfoliantes.

Absoluto: Producto, no un aceite esencial en sentido estricto, que se produce mediante un proceso conocido como extracción química con disolventes.

Alergia: Estado de hipersensibilidad o reacción adversa provocada por la presencia de una sustancia o un ingrediente en determinados productos. Muchas personas son alérgicas a los ingredientes que se encuentran en el jabón comercial.

Antioxidantes: Ingredientes que frenan la erosión del jabón y evitan que los ingredientes naturales o frescos se formen con el oxígeno y se vuelvan rancios.

Antiséptico: Ingrediente que se utiliza en los jabones para retrasar o impedir el crecimiento de las bacterias en los tejidos vivos o en el jabón.

Astringente: Sustancia o aditivo que se incluye en el jabón y cuya finalidad es cerrar los poros de la piel. A muchas personas les gusta que se incluya en su jabón porque hace que su piel se sienta más suave.

Aroma o aromatizante: Cualquier ingrediente de un jabón cuyas características son el aroma, el sabor o el gusto.

Aromaterapia: El uso de olores y aceites esenciales para afectar no sólo al bienestar general de una persona. Esto puede aplicarse al estado mental o físico de una persona.

Beneficios de la aromaterapia: Cualquier efecto debido al uso de un ingrediente aromático que mejora o afecta favorablemente a su cuerpo. Estos beneficios incluyen, pero no se limitan a desodorizaciòn, energía, limpieza, mejora del equilibrio, así como purificaciòn y rejuvenecimiento.

Nombre botánico: Este término se refiere al nombre latino dado a la planta como parte del biológico mientras que el segundo nombre se refiere a su especie.

Aceite portador: Es un aceite sin aroma propio que se utiliza como base para diluir los aceites esenciales en la elaboración de mezclas de masaje y productos de cuidado corporal.

Dérmico: Término utilizado para referirse a la piel.

Desinfectante: Sustancia que controla o evita la propagación de gérmenes.

Effleurage: Esta es una palabra que no se oye todos los días. Se refiere a un método antiguo de extracción de los aceites esenciales de los materiales vegetales mediante el uso de grasas y aceites inodoros.

Aceite esencial: Un aceite esencial son las esencias aromáticas de las plantas en una forma altamente concentrada que no sólo es aromática, sino también volátil.

Emoliente: Cualquier sustancia que se coloca en un jabón para suavizar la piel.

Expresión: Método utilizado para obtener aceite esencial a partir de material vegetal. Este término se utiliza a menudo cuando se extrae el aceite esencial de la cáscara de un cítrico. Este método consiste en extraer el aceite completo del material vegetal. También puede oírse hablar de extracción por prensado en frío.

Método de extracción: El medio por el que se separa un aceite esencial de una planta. Hay varias formas de hacerlo, como la destilación, la expresión y la extracción con disolventes.

Rellenos: Ingredientes que se encuentran en el jabón y que añaden volumen o hacen que una pastilla de jabón sea más grande sin mejorar el aroma, el color o la calidad del mismo.

Fijador: Cualquier ingrediente que estabiliza los aceites de un jabón que son volátiles, evitando que se evaporen prematuramente.

Grado alimentario: Clasificación otorgada por la Administración de Alimentos y Medicamentos de los Estados Unidos que certifica que la sustancia es segura para su uso en los alimentos.

Aceite de fragancia: Término utilizado para referirse a cualquier fragancia y aroma creado por medios sintéticos o no naturales.

Hierba: Término utilizado para describir productos botánicos naturales y plantas vivas. Se suele utilizar en referencia a las plantas que tienen ventajas culinarias o medicinales, o ambas.

Holístico: De o perteneciente a un enfoque natural para curar el cuerpo, la mente y el alma fuera de los límites de la medicina alopática tradicional u occidental.

Homeopatía: Método de curación natural establecido que utiliza plantas, animales y sustancias minerales para curar el cuerpo. Este método se distingue por el uso minúsculo de muchos de sus ingredientes como para hacerlos indistinguibles de las formas más grandes.

Hidratante: Sustancia utilizada para restablecer o mantener las proporciones normales de líquido en el cuerpo o en la piel.

Insoluble: Sustancia incapaz de disolverse en agua u otro líquido.

Irritante: Sustancia u otro material que produce irritación e inflamación de la piel.

Aroma principal: El aroma dominante de un producto en torno al cual se pueden añadir todos los demás aromas para hacer una nueva mezcla única.

Nervioso: Sustancia que refuerza o tonifica los nervios y el sistema nervioso.

Olfativo: Este término se utiliza en referencia al sentido del olfato.

Popurrí: Mezcla aromática de diversas hierbas y flores. En su forma más popular, el popurrí suele estar perfumado con aceites de fragancia sintéticos.

Relajante: Cualquier ingrediente utilizado en el jabón u otros productos de belleza que ayuda a calmar el cuerpo, aliviar el estrés o aliviar la tensión.

Sedante: Este término se utiliza en referencia a las sustancias que ayudan a calmar los nervios o a reducir la actividad funcional.

Nota única: Cualquier producto que sea un aceite puro y 100% natural. No contiene ni aditivos ni adulteraciones.

Soluble: Cualquier sustancia que se disuelve en agua u otro líquido.

Estimulante: Ingrediente o sustancia que acelera la actividad funcional de los tejidos humanos de forma temporal.

Sinérgico: Característica en la que el efecto total es más eficaz que las partes individuales.

Mezcla sinérgica: Combinación de múltiples aceites esenciales que producen un aroma completamente nuevo con un efecto terapéutico diferente.

Sintético: Sustancia producida artificialmente con el fin de imitar lo que ocurre naturalmente.

Made in the USA
Middletown, DE
12 February 2023

24737047R00126